講談社文庫

ノルウェイの森(上)

村上春樹

講談社

ノルウェイの森（上）

多くの祭り《フェト》のために

第一章

　僕は三十七歳で、そのときボーイング747のシートに座っていた。その巨大な飛行機はぶ厚い雨雲をくぐり抜けて降下し、ハンブルク空港に着陸しようとしているところだった。十一月の冷ややかな雨が大地を暗く染め、雨合羽を着た整備工たちや、のっぺりとした空港ビルの上に立った旗や、BMWの広告板やそんな何もかもをフランドル派の陰うつな絵の背景のように見せていた。やれやれ、またドイツか、と僕は思った。

　飛行機が着地を完了すると禁煙のサインが消え、天井のスピーカーから小さな音でBGMが流れはじめた。それはどこかのオーケストラが甘く演奏するビートルズの「ノルウェイの森」だった。そしてそのメロディーはいつものように僕を混乱させた。いや、いつもとは比べものにならないくらい激しく僕を混乱させ揺り動かした。

僕は頭がはりさけてしまわないように身をかがめて両手で顔を覆い、そのままじっとしていた。やがてドイツ人のスチュワーデスがやってきて、気分がわるいのかと英語で訊いた。大丈夫、少し目まいがしただけだと僕は答えた。

「本当に大丈夫？」

「大丈夫です、ありがとう」と僕は言った。スチュワーデスはにっこりと笑って行ってしまい、音楽はビリー・ジョエルの曲に変った。僕は顔を上げて北海の上空に浮かんだ暗い雲を眺め、自分がこれまでの人生の過程で失ってきた多くのもののことを考えた。失われた時間、死にあるいは去っていった人々、もう戻ることのない想い。

飛行機が完全にストップして、人々がシートベルトを外し、物入れの中からバッグやら上着やらをとりだし始めるまで、僕はずっとあの草原の中にいた。僕は草の匂いをかぎ、肌に風を感じ、鳥の声を聴いた。それは一九六九年の秋で、僕はもうすぐ二十歳になろうとしていた。

前と同じスチュワーデスがやってきて、僕の隣りに腰を下ろし、もう大丈夫かと訊ねた。

「大丈夫です、ありがとう。ちょっと哀しくなっただけだから（It's all right now, thank you. I only felt lonely, you know.）」と僕は言って微笑んだ。

「Well, I feel same way, once in a while. I know what you mean.（そういうこと私にもときどきありますよ。よくわかります）」彼女はそう言って首を振り、席から立ちあがってとても素敵な笑顔を僕に向けてくれた。「I hope you'll have a nice trip. Auf Wiedersehen!（よい御旅行を。さようなら）」

「Auf Wiedersehen!」と僕も言った。

十八年という歳月が過ぎ去ってしまった今でも、僕はあの草原の風景をはっきりと思いだすことができる。何日かつづいたやわらかな雨に夏のあいだのほこりをすっかり洗い流された山肌は深く鮮かな青みをたたえ、十月の風はすすきの穂をあちこちで揺らせ、細長い雲が凍りつくような青い天頂にぴたりとはりついていた。空は高く、じっと見ていると目が痛くなるほどだった。風は草原をわたり、彼女の髪をかすかに揺らせて雑木林に抜けていった。梢の葉がさらさらと音を立て、遠くの方で犬の鳴く声が聞こえた。まるで別の世界の入口から聞こえてくるような小さくかすんだ鳴き声だった。その他にはどんな物音もなかった。どんな物音も我々の耳には届かなかった。誰一人ともすれ違わなかった。まっ赤な鳥が二羽草原の中から何かに怯えたようにとびあがって雑木林の方に飛んでいくのを見かけただけだった。歩きながら直子は僕に井戸の話をしてくれた。

記憶というのはなんだか不思議なものだ。その中に実際に身を置いていたとき、僕はそんな風景に殆んど注意なんて払わなかった。とくに印象的な風景だとも思わなかったし、十八年後もその風景を細部まで覚えているかもしれないとは考えつきもしなかった。正直なところ、そのときの僕には風景なんてどうでもいいようなものだったのだ。僕は僕自身のことを考え、そのときとなりを並んで歩いていた一人の美しい女のことを考え、僕と彼女とのことを考え、そしてまた僕自身のことを考えた。それは何を見ても何を感じても何を考えても、結局すべてはブーメランのように自分自身の手もとに戻ってくるという年代だったのだ。おまけに僕は恋をしていて、その恋はひどくややこしい場所に僕を運びこんでいた。まわりの風景に気持を向ける余裕なんてどこにもなかったのだ。

でも今では僕の脳裏に最初に浮かぶのはその草原の風景だ。草の匂い、かすかな冷やかさを含んだ風、山の稜線、犬の鳴く声、そんなものがまず最初に浮かびあがってくる。とてもくっきりと。それらはあまりにもくっきりとしているので、手をのばせばひとつひとつ指でなぞれそうな気がするくらいだ。しかしその風景の中には人の姿は見えない。誰もいない。直子もいないし、僕もいない。我々はいったいどこに消えてしまったんだろう、と僕は思う。どうしてこんなことが起りうるんだろう、と。あれほど大事そうに見えたものは、彼女やそのときの僕や僕の世界は、みんなどこに行ってしまったんだろう、と。そう、僕には直子の顔を今すぐ思いだすことさえできないのだ。僕が手にしているのは人影のない背景だけなのだ。

もちろん時間さえかければ僕は彼女の顔を思いだすことができる。小さな冷たい手や、さらりとした手ざわりのまっすぐなきれいな髪や、やわらかな丸い形の耳たぶやそのすぐ下にある小さなホクロや、冬になるとよく着ていた上品なキャメルのコートや、いつも相手の目をじっとのぞきこみながら質問する癖や、ときどき何かの加減で震え気味になる声（まるで強風の吹く丘の上でしゃべっているみたいだった）や、そんなイメージをひとつひとつ積みかさねていくと、ふっと自然に彼女の顔が浮かびあがってくる。まず横顔が浮かびあがってくる。これはたぶん僕と直子がいつも並んで歩いていたせいだろう。だから僕が最初に思いだすのはいつも彼女の横顔なのだ。それから彼女は僕の方を向き、にっこりと笑い、少し首をかしげ、話しかけ、僕の目をのぞきこむ。まるで澄んだ泉の底をちらりとよぎる小さな魚の影を探し求めるみたいに。

でもそんな風に僕の頭の中に直子の顔が浮かんでくるまでには少し時間がかかる。そして年月がたつにつれてそれに要する時間はだんだん長くなってくる。哀しいことではあるけれど、それは真実なのだ。最初は五秒あれば思いだせたのに、それが十秒になり三十秒になり一分になる。まるで夕暮の影のようにそれはどんどん長くなる。そしておそらくやがては夕闇の中に吸いこまれてしまうことになるのだろう。そう、僕の記憶は直子の立っていた場所から確実に遠ざかりつつあるのだ。ちょうど僕がかつての僕自身が立っていた場所から確実に遠ざかりつつあるように。そして風景だけが、その十月の草原の風景だけが、まるで映画の中の象徴的なシーンみたいにくりかえしくりかえし僕の頭の中に浮かんでくる。そしてその風景は僕の頭のある部分を執拗に蹴りつづけている。おい、起きろ、俺はまだここにいるんだぞ、起きろ、起きて理解しろ、どうして俺がまだここにいるのかというその理由を。痛みはない。痛みはまったくない。蹴とばすたびにうつろな音がするだけだ。そしてその音さえもたぶんいつかは消えてしまうのだろう。他の何もかもが結局は消えてしまったように。しかしハンブルク空港のルフトハンザ機の中で、彼らはいつもより長くいつもより強く僕の頭を蹴りつづけていた。起きろ、理解しろ、と。だからこそ僕はこの文章を書いている。僕は何ごとによらず文章にして書いてみないことには物事をうまく理解できないというタイプの人間なのだ。

彼女はそのとき何の話をしていたんだっけ？

そうだ、彼女は僕に野井戸の話をしていたのだ。そんな井戸が本当に存在したのかどうか、僕にはわからない。あるいはそれは彼女の中にしか存在しないイメージなり記号であったのかもしれない——あの暗い日々に彼女がその頭の中で紡ぎだした他の数多くの事物と同じように。でも直子がその井戸の話をしてくれたあとでは、僕はその井戸の姿なしには草原の風景を思いだすことができなくなってしまった。実際に目にしたわけではない井戸の姿が、僕の頭の中では分離することのできない一部として風景の中にしっかりと焼きつけられているのだ。僕はその井戸の様子を細かく描写することだってできる。井戸は草原が終って雑木林が始まるそのちょうど境い目あたりにある。大地にぽっかりと開いた直径一メートルばかりの暗い穴を草が巧妙に覆い隠している。まわりには柵もないし、少し高くなった石囲いもない。ただその穴が口を開けているだけである。縁石は風雨にさらされて奇妙な白濁色に変色し、ところどころでひび割れて崩れおちている。小さな緑色のトカゲがそんな石のすきまにするするともぐりこむのが見える。身をのりだしてその穴の中をのぞきこんでみても何も見えない。僕に唯一わかるのはそれがとにかくおそろしく深いということだけだ。見当もつかないくらい深いのだ。そして穴の中には暗黒が——世の中のあらゆる種類の暗黒を煮つめたような濃密な暗黒が——つまっている。

「それは本当に——本当に深いのよ」と直子は丁寧に言葉を選びながら言った。彼女はときどきそんな話し方をした。正確な言葉を探し求めながらとてもゆっくりと話すのだ。

「本当に深いの。でもそれが何処にあるかは誰にもわからないの。このへんの何処かにあることは確かなんだけれど」

彼女はそう言うとツイードの上着のポケットに両手をつっこんだまま僕の顔を見て、本当よという風ににっこりと微笑んだ。

「でもそれじゃ危くってしようがないだろう」と僕は言った。「どこかに深い井戸がある、でもそれが何処にあるかは誰も知らないなんてね。落っこっちゃったらどうしようもないじゃないか」

「どうしようもないでしょうね。ひゅうううう、ポン、それでおしまいだもの」

「そういうのは実際には起こらないの？」

「ときどき起こるの。二年か三年に一度くらいかな。人が急にいなくなっちゃって、どれだけ探してもみつからないの。そうするとこのへんの人は言うの、あれは野井戸に落っこちたんだって」

「あまり良い死に方じゃなさそうだね」と僕は言った。

「ひどい死に方よ」と彼女は言って、上着についた草の穂を手で払って落とした。「そのまま首の骨でも折ってあっさり死んじゃえばいいけれど、何かの加減で足をくじくくらいですんじゃったらどうしようもないわね。声を限りに叫んでみても誰にも聞こえないし、誰かがみつけてくれる見込みもないし、まわりにはムカデやらクモやらがうようよいるし、そこで死んでいった人たちの白骨があたり一面にちらばっているし、暗くてじめじめしていて。そして上の方には光の円がまるで冬の月みたいに小さく小さく浮かんでいるの。そんなところで一人ぼっちでじわじわと死んでいくの」

「考えただけで身の毛がよだつな」と僕は言った。「誰かが見つけて囲いを作るべきだよ」

「でも誰にもその井戸を見つけることはできないの。だからちゃんとした道を離れちゃ駄目よ」

「離れないよ」

直子はポケットから左手を出して僕の手を握った。「でも大丈夫よ、あなたは。あなたは何も心配することはないの。あなたは闇夜に盲滅法にこのへんを歩きまわったって絶対に井戸には落ちないの。そしてこうしてあなたにくっついている限り、私も井戸には落ちないの」

「絶対に？」

「絶対に」

「どうしてそんなことがわかるの？」

「私にはわかるのよ。ただわかるの」直子は僕の手をしっかりと握ったままそう言った。

そしてしばらく黙って歩きつづけた。「その手のことって私にはすごくよくわかるの。理屈とかそんなのじゃなくて、ただ感じるのね。たとえば今こうしてあなたにしっかりとくっついているとね、私ちっとも怖くないの。どんな悪いものも暗いものも私を誘おうとはしないのよ」

「じゃあ話は簡単だ。ずっとこうしてりゃいいんじゃないか」と僕は言った。

「それ——本気で言ってるの?」

「もちろん本気だよ」

直子は立ちどまった。僕も立ちどまった。彼女は両手を僕の肩にあてて正面から、僕の目をじっとのぞきこんだ。彼女の瞳の奥の方ではまっ黒な重い液体が不思議な図形の渦を描いていた。そんな一対の美しい瞳が長いあいだ僕の中をのぞきこんでいた。それから彼女は背のびをして僕の頰にそっと頰をつけた。それは一瞬胸がつまってしまうくらいあたたかくて素敵な仕草だった。

「ありがとう」と直子は言った。

「どういたしまして」と僕は言った。

「あなたがそう言ってくれて私とても嬉しいの。本当よ」と彼女は哀しそうに微笑しながら言った。「でもそれはできないのよ」

「どうして？」

「それはいけないことだからよ。それはひどいことだからよ。それは——」と言いかけて直子はふと口をつぐみ、そのまま歩きつづけた。いろんな思いが彼女の頭の中でぐるぐるとまわっていることがわかっていたので、僕も口をはさまずにそのとなりを黙って歩いた。

「それは——正しくないことだからよ、あなたにとっても私にとっても」とずいぶんあとで彼女はそうつづけた。

「どんな風に正しくないんだろう？」と僕は静かな声で訊ねてみた。

「だって誰かが誰かをずっと永遠に守りつづけるなんて、そんなこと不可能だからよ。ねえ、もしよ、もし私があなたと結婚したとするわよね。あなたは会社につとめるわね。するとあなたが会社に行ってるあいだいったい誰が私を守ってくれるの？　あなたが出張に行っているあいだいったい誰が私を守ってくれるの？　私は死ぬまであなたにくっついてまわってるの？　ねえ、そんなの対等じゃないじゃない。そんなの人間関係とも呼べないでしょう？　そしてあなたはいつか私にうんざりするのよ。俺の人生っていったい何だったんだ？　この女のおもりをするだけのことなのかって。私そんなの嫌よ。それでは私の抱えている問題は解決したことにはならないのよ」

「これが一生つづくわけじゃないんだ」と僕は彼女の背中に手をあてて、言った。「いつか終る。終ったところで僕らはもう一度考えなおせばいい。これからどうしようかってね。そのときはあるいは君の方が僕を助けてくれるかもしれない。僕らは収支決算表を睨んで生きているわけじゃない。もし君が僕を今必要としているなら僕を使えばいいんだ。そうだろ？ どうしてそんなに固く物事を考えるんだよ？ ねえ、もっと肩の力を抜きなよ。肩に力が入ってるから、そんな風に構えて物事を見ちゃうんだ。肩の力を抜けばもっと体が軽くなるよ」

「どうしてそんなこと言うの？」と直子はおそろしく乾いた声で言った。

彼女の声を聞いて、僕は自分が何か間違ったことを口にしたらしいなと思った。

「どうしてよ？」と直子はじっと足もとの地面を見つめながら言った。「肩の力を抜けば体が軽くなることくらい私にもわかっているわよ。そんなこと言ってもらったって何の役にも立たないのよ。ねえ、いい？ もし私が今肩の力を抜いたら、私バラバラになっちゃうのよ。私は昔からこういう風にしてしか生きてこなかったし、今でもそういう風にしてしか生きていけないのよ。一度力を抜いたらもうもとには戻れないのよ。私はバラバラになって――どこかに吹きとばされてしまうのよ。どうしてそれがわからないの？ それがわからないで、どうして私の面倒をみるなんて言うことができるの？」

僕は黙っていた。

「私はあなたが考えているよりずっと深く混乱しているのよ。暗くて、冷たくて、混乱していて……ねえ、どうしてあなたあのとき私と寝たりしたのよ？　どうして私を放っておいてくれなかったのよ？」

我々はひどくしんとした松林の中を歩いていた。道の上には夏の終りに死んだ蟬の死骸がからからに乾いてちらばっていて、それが靴の下でぱりぱりという音を立てた。僕と直子はまるで探しものでもしているみたいに、地面を見ながらゆっくりとその松林の中の道を歩いた。

「ごめんなさい」と直子は言って僕の腕をやさしく握った。そして何度か首を振った。「あなたを傷つけるつもりはなかったの。私の言ったこと気にしないでね。本当にごめんなさい。私はただ自分に腹を立てていただけなの」

「たぶん僕は君のことをまだ本当には理解してないんだと思う」と僕は言った。「僕は頭の良い人間じゃないし、物事を理解するのに時間がかかる。でももし時間さえあれば僕は君のことをきちんと理解するし、そうなれば僕は世界中の誰よりもきちんと理解できると思う」

僕らはそこで立ちどまって静けさの中で耳を澄ませ、僕は靴の先で蟬の死骸や松ぼっくりを転がしたり、松の枝のあいだから見える空を見あげたりしていた。直子は上着のポケットに両手をつっこんで何を見るともなくじっと考えごとをしていた。

「ねえワタナベ君、私のこと好き?」

「もちろん」と僕は答えた。

「じゃあ私のおねがいをふたつ聞いてくれる?」

「みっつ聞くよ」

直子は笑って首を振った。「ふたつでいいのよ。ふたつで十分。ひとつはね、あなたがこうして会いに来てくれたことに対して私はすごく感謝してるんだということをわかってほしいの。とても嬉しいし、とても——救われるのよ。もしたとえそう見えなかったとしても、そうなのよ」

「また会いにくるよ」と僕は言った。「もうひとつは?」

「私のことを覚えていてほしいの。私が存在し、こうしてあなたのとなりにいたことをずっと覚えていてくれる?」

「もちろんずっと覚えているよ」と僕は答えた。

彼女はそのまま何も言わずに先に立って歩きはじめた。梢を抜けてくる秋の光が彼女の上着の肩の上でちらちらと踊っていた。また犬の声が聞こえたが、それは前よりいくぶん我々の方に近づいているように思えた。直子は小さな丘のように盛りあがったところを上り、松林の外に出て、なだらかな坂を足速に下った。僕はその二、三歩あとをついて歩いた。

「こっちにおいでよ。そのへんに井戸があるかもしれないよ」と僕は彼女の背中に声をかけた。直子は立ちどまってにっこりと笑い、僕の腕をそっとつかんだ。そして我々は残りの道を二人で並んで歩いた。

「本当にいつまでも私のことを忘れないでいてくれる？」と彼女は小さな囁くような声で訊ねた。

「いつまでも忘れないさ」と僕は言った。「君のことを忘れられるわけがないよ」

＊

それでも記憶は確実に遠ざかっていくし、僕はあまりに多くのことを既に忘れてしまった。こうして記憶を辿りながら文章を書いていると、僕はときどきひどく不安な気持になってしまう。ひょっとして自分はいちばん肝心な部分の記憶を失ってしまっているんじゃないかとふと思うからだ。僕の体の中に記憶の辺土《リンボ》とでも呼ぶべき暗い場所があって、大事な記憶は全部そこにつもってやわらかい泥と化してしまっているのではあるまいか、と。

しかし何はともあれ、今のところはそれが僕の手に入れられるものの全てなのだ。既に薄らいでしまい、そして今も刻一刻と薄らいでいくその不完全な記憶をしっかり胸に抱きかかえ、骨でもしゃぶるような気持で僕はこの文章を書きつづけている。直子との約束を守るためにはこうする以外に何の方法もないのだ。

もっと昔、僕がまだ若く、その記憶がずっと鮮明だったころ、僕は直子について書いてみようと試みたことが何度かある。でもそのときは一行たりとも書くことができなかった。その最初の一行さえ出てくれれば、あとは何もかもすらすらと書いてしまえるだろうということはよくわかっていたのだけれど、その一行がどうしても出てこなかったのだ。全てがあまりにもくっきりとしすぎていて、どこから手をつければいいのかがわからなかったのだ。あまりにも克明な地図が、克明にすぎて時として役に立たないのと同じことだ。でも今はわかる。結局のところ——と僕は思う——文章という不完全な容器に盛ることができるのは不完全な記憶や不完全な想いでしかないのだ。そして直子に関する記憶が僕の中で薄らいでいけばいくほど、僕はより深く彼女を理解することができるようになったと思う。何故彼女が僕に向って「私を忘れないで」と頼んだのか、その理由も今の僕にはわかる。もちろん直子は知っていたのだ。僕の中で彼女に関する記憶がいつか薄らいでいくであろうということを。だからこそ彼女は僕に向って訴えかけねばならなかったのだ。「私のことをいつまでも忘れないで。私が存在していたことを覚えていて」と。

そう考えると僕はたまらなく哀しい。何故なら直子は僕のことを愛してさえいなかったからだ。

第二章

昔々、といってもせいぜい二十年ぐらい前のことなのだけれど、僕はある学生寮に住んでいた。僕は十八で、大学に入ったばかりだった。東京のことなんて何ひとつ知らなかったし、一人暮しをするのも初めてだったので、親が心配してその寮をみつけてきてくれた。そこなら食事もついているし、いろんな設備も揃っているし、世間知らずの十八の少年でもなんとか生きていけるだろうということだった。もちろん費用のこともあった。寮の費用は一人暮しのそれに比べて格段に安かった。なにしろ布団と電気スタンドさえあればあとは何ひとつ買い揃える必要がないのだ。僕としてはできることならアパートを借りて一人で気楽に暮したかったのだが、私立大学の入学金や授業料や月々の生活費のことを考えるとわがままは言えなかった。それに僕も結局は住むところなんてどこだっていいやと思っていたのだ。

その寮は都内の見晴しの良い高台にあった。敷地は広く、まわりを高いコンクリートの塀に囲まれていた。門をくぐると正面には巨大なけやきの木がそびえ立っている。樹齢は少くとも百五十年ということだった。根もとに立って上を見あげると空はその緑の葉にすっぽりと覆い隠されてしまう。

コンクリートの舗道はそのけやきの巨木を迂回するように曲り、それから再び長い直線となって中庭を横切っている。中庭の両側には鉄筋コンクリート三階建ての棟がふたつ、平行に並んでいる。窓の沢山ついた大きな建物で、アパートを改造した刑務所かあるいは刑務所を改造したアパートみたいな印象を見るものに与える。しかし決して不潔ではないし、暗い印象もない。開け放しになった窓からはラジオの音が聴こえる。窓のカーテンはどの部屋も同じクリーム色、日焼けがいちばん目立たない色だ。

舗道をまっすぐ行った正面には二階建ての本部建物がある。一階には食堂と大きな浴場、二階には講堂といくつかの集会室、それから何に使うのかは知らないけれど貴賓室まである。本部建物のとなりには三つめの寮棟がある。これも三階建てだ。中庭は広く、緑の芝生の中ではスプリンクラーが太陽の光を反射させながらぐるぐると回っている。本部建物の裏手には野球とサッカーの兼用グラウンドとテニス・コートが六面ある。至れり尽せりだ。

この寮の唯一の問題点はその根本的なうさん臭さにあった。寮はあるきわめて右翼的な人物を中心とする正体不明の財団法人によって運営されており、その運営方針は——もちろん僕の目から見ればということだが——かなり奇妙に歪んだものだった。入寮案内のパンフレットと寮生規則を読めばそのだいたいのところはわかる。「教育の根幹を窮め国家にとって有為な人材の育成につとめる」、これがこの寮創設の精神であり、そしてその精神に賛同した多くの財界人が私財を投じ……というのが表向きの顔なのだが、その裏のことは例によって曖昧模糊としている。正確なところは誰にもわからない。ただの税金対策だと言うものもいるし、売名行為だと言うものもいるし、寮設立という名目でこの一等地を詐欺同然のやりくちで手に入れたんだと言うものもいる。いや、もっともっと深い読みがあるんだと言うものもいる。彼の説によればこの寮の出身者で政財界に地下の閥を作ろうというのが設立者の目的なのだということであった。たしかに寮には寮生の中のトップ・エリートをあつめた特権的なクラブのようなものがあって、僕もくわしいことはよく知らないけれど、月に何度かその設立者をまじえて研究会のようなものを開いており、そのクラブに入っている限り就職の心配はないということであった。そんな説のいったいどれが正しくてどれが間違っているのか僕には判断できないが、それらの説は「とにかくここはうさん臭いんだ」という点で共通していた。

いずれにせよ一九六八年の春から七〇年の春までの二年間を僕はこのうさん臭い寮で過した。どうしてそんなうさん臭いところに二年もいたのだと訊かれても答えようがない。日常生活というレベルから見れば右翼だろうが左翼だろうが、偽善だろうが偽悪だろうが、それほどたいした違いはないのだ。

寮の一日は荘厳な国旗掲揚とともに始まる。もちろん国歌も流れる。スポーツ・ニュースからマーチが切り離せないように、国旗掲揚から国歌は切り離せない。国旗掲揚台は中庭のまん中にあってどの寮棟の窓からも見えるようになっている。

国旗を掲揚するのは東棟（僕の入っている寮だ）の寮長の役目だった。背が高くて目つきの鋭い六十前後の男だ。いかにも硬そうな髪にいくらか白髪がまじり、日焼けした首筋に長い傷あとがある。この人物は陸軍中野学校の出身という話だったが、これも真偽のほどはわからない。そのとなりにはこの国旗掲揚を手伝う助手の如き立場の学生が控えている。この学生のことは誰もよく知らない。丸刈りで、いつも学生服を着ている。名前も知らないし、どの部屋に住んでいるのかもわからない。食堂でも風呂でも一度も顔をあわせたことがない。本当に学生なのかどうかさえわからない。まあしかし学生服を着ているからにはやはり学生なのだろう。そうとしか考えようがない。そして中野学校氏とは逆に背が低く、小太りで色が白い。この不気味きわまりない二人組が毎朝六時に寮の中庭に日の丸をあげるわけだ。

僕は寮に入った当初、もの珍しさからわざわざ六時に起きてよくこの愛国的儀式を見物したものである。朝の六時、ラジオの時報が鳴るのと殆んど同時に二人は中庭に姿を見せる。学生服はもちろん、学生服に黒の皮靴、中野学校はジャンパーに白の運動靴という格好である。学生服は桐の薄い箱を持っている。中野学校はソニーのポータブル・テープレコーダーを提げている。中野学校がテープレコーダーを掲揚台の足もとに置く。学生服が桐の箱をあける。箱のなかにはきちんと折り畳まれた国旗が入っている。学生服が中野学校にうやうやしく旗を差し出す。中野学校がロープに旗をつける。学生服がテープレコーダーのスイッチを押す。

君が代。

そして旗がするするとポールを上っていく。

「さざれ石のお——」というあたりで旗はポールのまん中あたり、「まあで——」というところで頂上にのぼりつめる。そして二人は背筋をしゃんとのばして〈気をつけ〉の姿勢をとり、国旗をまっすぐ見あげる。空が晴れてうまく風が吹いていれば、これはなかなかの光景である。

夕方の国旗降下も儀式としてはだいたい同じような様式でとりおこなわれる。ただし順序は朝とはまったく逆になる。旗はするすると降り、桐の箱の中に収まる。夜には国旗は翻らない。

どうして夜のあいだ国旗が降ろされてしまうのか、僕にはその理由がわからなかった。夜のあいだだってちゃんと国家は存続しているし、働いている人だって沢山いる。線路工夫やタクシーの運転手やバーのホステスや夜勤の消防士やビルの夜警や、そんな夜に働く人々が国家の庇護を受けることができないというのは、どうも不公平であるような気がした。でもそんなのは本当はそれほどたいしたことではないのかもしれない。誰もたぶんそんなことは気にもとめないのだろう。気にするのは僕くらいのものなのだろう。それに僕にしたところで何かの折りにふとそう思っただけで、それを深く追求してみようなんていう気はさらさらなかったのだ。

寮の部屋割は原則として一、二年生が二人部屋、三、四年生が一人部屋ということになっていた。二人部屋は六畳間をもう少し細長くしたくらいの広さで、つきあたりの壁にアルミ枠の窓がついていて、窓の前に背中あわせに勉強できるように机と椅子がセットされている。入口の左手に鉄製の二段ベッドがある。家具はどれも極端なくらい簡潔でがっしりとしたものだった。机とベッドの他にはロッカーがふたつ、小さなコーヒー・テーブルがひとつ、それに作りつけの棚があった。どう好意的に見ても詩的な空間とは言えなかった。大抵の部屋の棚にはトランジスタ・ラジオとヘア・ドライヤーと電気ポットと電熱器とインスタント・コーヒーとティー・バッグと角砂糖とインスタント・ラーメンを作るための鍋と簡単な食器がいくつか並んでいる。しっくいの壁には「平凡パンチ」のピンナップか、どこかからはがしてきたポルノ映画のポスターが貼ってある。中には冗談で豚の交尾の写真を貼っているものもいたが、そういうのは例外中の例外で、殆ど部屋の壁に貼ってあるのは裸の女か若い女性歌手か女優の写真だった。机の上の本立てには教科書や辞書や小説なんかが並んでいた。

男ばかりの部屋だから大体はおそろしく汚ない。ごみ箱の底にはかびのはえたみかんの皮がへばりついているし、灰皿がわりの空缶には吸殻が十センチもつもっていて、それがくすぶるとコーヒーかビールかそんなものをかけて消すものだから、むっとするすえた匂いを放っている。食器はどれも黒ずんでいるし、いろんなところにわけのわからないものがこびりついているし、床にはインスタント・ラーメンのセロファン・ラップやらビールの空瓶やら何かのふたやら何やかやが散乱している。ほうきで掃いて集めてちりとりを使ってごみ箱に捨てるということを誰も思いつかないのだ。風が吹くと床からほこりがもうもうと舞いあがる。そしてどの部屋にもひどい匂いが漂っている。部屋によってその匂いは少しずつ違っているが、匂いを構成するものはまったく同じである。汗と体臭とごみだ。みんな洗濯物をどんどんベッドの下に放りこんでおくし、定期的に布団を干す人間なんていないから布団はたっぷりと汗を吸いこんで救いがたい匂いを放っている。そんなカオスの中からよく致命的な伝染病が発生しなかったものだと今でも僕は不思議に思っている。

でもそれに比べると僕の部屋は死体安置所のように清潔だった。床にはちりひとつなく、窓ガラスにはくもりひとつなく、布団は週に一度干され、鉛筆はきちんと鉛筆立てに収まり、カーテンさえ月に一回は洗濯された。僕の同居人が病的なまでに清潔好きだったからだ。僕は他の連中に「あいつカーテンまで洗うんだぜ」と言ったが誰もそんなことは信じなかった。カーテンはときどき洗うものだということを誰も知らなかったのだ。カーテンというのは半永久的に窓にぶらさがっているものだと彼らは信じていたのだ。「あれ異常性格だよ」と彼らは言った。それからみんなは彼のことをナチだとか突撃隊だとか呼ぶようになった。

僕の部屋にはピンナップさえ貼られてはいなかった。そのかわりアムステルダムの運河の写真が貼ってあった。僕がヌード写真を貼ると「ねえ、ワタナベ君さ、ぼ、ぼくはこういうのあまり好きじゃないんだよ」と言ってそれをはがし、かわりに運河の写真を貼ったのだ。僕もとくにヌード写真を貼りたかったわけでもなかったのでべつに文句は言わなかった。僕の部屋に遊びに来た人間はみんなその運河の写真を見て「なんだ、これ？」と言った。「突撃隊はこれ見ながらマスターベーションするんだよ」と僕は言った。冗談のつもりで言ったのだが、みんなあっさりとそれを信じてしまった。あまりにもあっさりとみんなが信じるのでそのうちに僕も本当にそうなのかもしれないと思うようになった。

みんなは突撃隊と同室になっていることで僕に同情してくれたが、僕自身はそれほど嫌な思いをしたわけではなかった。こちらが身のまわりを清潔にしている限り、彼は僕に一切干渉しなかったから、僕としてはかえって楽なくらいだった。掃除は全部彼がやってくれたし、布団も彼が干してくれたし、ゴミも彼がかたづけてくれた。僕が忙しくて三日風呂に入らないとくんくん匂いをかいでから入った方がいいと忠告してくれたし、そろそろ床屋に行けばとか鼻毛切った方がいいねとかも言ってくれた。困るのは虫が一匹でもいると部屋の中に殺虫スプレーをまきちらすことで、そういうとき僕は隣室のカオスの中に退避せざるを得なかった。

突撃隊はある国立大学で地理学を専攻していた。

「僕はね、ち、ち、地図の勉強してるんだよ」と最初に会ったとき、彼は僕にそう言った。

「地図が好きなの？」と僕は訊いてみた。

「うん、大学を出たら国土地理院に入ってさ、ち、ち、地図作るんだ」

なるほど世の中にはいろんな希望があり人生の目的があるんだなと僕はあらためて感心した。それは東京に出てきて僕が最初に感心したことのひとつだった。たしかに地図づくりに興味を抱き熱意を持った人間が少しくらいいないことには──あまりいっぱいいる必要もないだろうけれど──それは困ったことになってしまう。しかし「地図」という言葉を口にするたびにどもってしまう人間が国土地理院に入りたがっているというのは何かしら奇妙であった。彼は場合によってどもったりどもらなかったりしたが、「地図」という言葉が出てくると百パーセント確実にどもった。

「き、君は何を専攻するの？」と彼は訊ねた。

「演劇」と僕は答えた。

「演劇って芝居やるの？」

「いや、そういうんじゃなくてね。戯曲を読んだりしてさ、研究するわけさ。ラシーヌとかイヨネスコとかシェークスピアとかね」

シェークスピア以外の人の名前は聞いたことないな、と彼は言った。僕だって殆んど聞いたことはない。講義要項にそう書いてあっただけだ。

「でもとにかくそういうのが好きなんだね？」と彼は言った。

「別に好きじゃないよ」と僕は言った。

その答は彼を混乱させた。混乱するとどもりがひどくなった。僕はとても悪いことをしてしまったような気がした。

「なんでも良かったんだよ、僕の場合は」僕は説明した。「民族学だって東洋史だってなんだって良かったんだ。ただたまたま演劇だったんだ、気が向いたのが。それだけ」しかしその説明はもちろん彼を納得させられなかった。

「わからないな」彼は本当にわからないという顔をして言った。「ぼ、僕の場合はち、ち、地図が好きだから、ち、ち、ち、地図の勉強してるわけだよね。そのためにわざわざと、東京の大学に入って、し、仕送りをしてもらってるわけだよ。でも君はそうじゃないって言うし……」

彼の言っていることの方が正論だった。僕は説明をあきらめた。それから我々はマッチ棒のくじをひいて二段ベッドの上下を決めた。彼が上段で僕が下段だった。

彼はいつも白いシャツと黒いズボンと紺のセーターという格好だった。頭は丸刈りで背が高く、頬骨がはっていた。学校に行くときはいつも学生服を着た。靴も鞄もまっ黒だった。見るからに右翼学生という格好だったし、だからこそまわりの連中も突撃隊と呼んでいたわけだが本当のことを言えば彼は政治に対しては百パーセント無関心だった。洋服を選ぶのが面倒なのでいつもそんな格好をしているだけの話だった。彼が関心を抱くのは海岸線の変化とか新しい鉄道トンネルの完成とか、そういった種類の出来事に限られていた。そういうことについて話しだすと、彼はどもったりつっかえたりしながら一時間でも二時間でも、こちらが逃げだすか眠ってしまうかするまでしゃべりつづけていた。

毎朝六時に「君が代」を目覚し時計がわりにして彼は起床した。あのこれみよがしの仰々しい国旗掲揚式もまるっきり役に立たないというわけではないのだ。そして服を着て洗面所に行って顔を洗う。顔を洗うのにすごく長い時間がかかる。歯を一本一本取り外して洗っているんじゃないかという気がするくらいだ。部屋に戻ってくるとパンパンと音を立ててタオルのしわをきちんとのばしてスチームの上にかけて乾かし、歯ブラシと石鹼を棚に戻す。それからラジオをつけてラジオ体操を始める。

僕はだいたい夜遅くまで本を読み朝は八時くらいまで熟睡するから、彼が起きだしてごそごそしても、ラジオをつけて体操を始めても、まだぐっすりと眠りこんでいることもある。しかしそんなときでも、ラジオ体操が跳躍の部分にさしかかったところで必ず目を覚ますことになった。覚まさないわけにはいかなかったのだ。なにしろ彼が跳躍するたびに——それも実に高く跳躍した——その震動でベッドがどすんどすんと上下したからだ。三日間、僕は我慢した。共同生活においてはある程度の我慢は必要だと言いきかされていたからだ。しかし四日めの朝、僕はもうこれ以上は我慢できないという結論に達した。

「悪いけどさ、ラジオ体操は屋上かなんかでやってくれないかな」と僕はきっぱりと言った。「それやられると目が覚めちゃうんだ」

「でももう六時半だよ」と彼は信じられないという顔をして言った。

「知ってるよ、それは。六時半だろ？　六時半は僕にとってはまだ寝てる時間なんだ。どうしてかは説明できないけどとにかくそうなってるんだよ」

「駄目だよ。屋上でやると三階の人から文句がくるんだ。ここなら下の部屋は物置きだから誰からも文句はこないし」

「じゃあ中庭でやりなよ。芝生の上で」

「それも駄目なんだよ。ぼ、僕のはトランジスタ・ラジオじゃないからさ、で、電源がないと使えないし、音楽がないとラジオ体操ってできないんだよ」

たしかに彼のラジオはひどく古い型の電源式だったし、一方僕のはトランジスタだったがFMしか入らない音楽専用のものだった。やれやれ、と僕は思った。

「じゃあ歩み寄ろう」と僕は言った。「ラジオ体操はやってもかまわない。そのかわり跳躍のところだけはやめてくれよ。あれすごくうるさいから。それでいいだろ？」

「ちょ、跳躍？」と彼はびっくりしたように訊きかえした。「跳躍ってなんだい、それ？」

「跳躍といえば跳躍だよ。ぴょんぴょん跳ぶやつだよ」

「そんなのないよ」

僕の頭は痛みはじめた。もうどうでもいいやという気もしたが、まあ言いだしたことははっきりさせておこうと思って、僕は実際にＮＨＫラジオ体操第一のメロディーを唄いながら床の上でぴょんぴょん跳んだ。

「ほら、これだよ、ちゃんとあるだろう？」

「そ、そうだな。たしかにあるな。気がつ、つかなかった」

「だからさ」と僕はベッドの上に腰を下ろして言った。「そこの部分だけを端折ってほしいんだよ。他のところは全部我慢するから。跳躍のところだけをやめて僕をぐっすり眠らせてくれないかな」

「駄目だよ」と彼は実にあっさりと言った。「ひとつだけ抜かすってわけにはいかないんだよ。十年も毎日毎日やってるからさ、やり始めると、む、無意識に全部やっちゃうんだ。ひとつ抜かすとさ、み、み、みんな出来なくなっちゃう」

僕はそれ以上何も言えなかった。いったい何が言えるだろう？　いちばんてっとり早いのはそのいまいましいラジオを彼のいないあいだに窓から放りだしてしまうことだったが、そんなことをしたら地獄のふたをあけたような騒ぎがもちあがるのは目に見えていた。突撃隊は自分のもち物を極端に大事にする男だったからだ。僕が言葉を失って空しくベッドに腰かけていると彼はにこにこしながら僕を慰めてくれた。

「ワ、ワタナベ君もさ、一緒に起きて体操するといいのにさ」と彼は言って、それから朝食を食べに行ってしまった。

＊

僕が突撃隊と彼のラジオ体操の話をすると、直子はくすくすと笑った。笑い話のつもりではなかったのだけれど、結局は僕も笑った。彼女の笑顔を見るのは――それはほんの一瞬のうちに消えてしまったのだけれど――本当に久しぶりだった。

僕と直子は四ツ谷駅で電車を降りて、線路わきの土手を市ケ谷の方に向けて歩いていた。五月の半ばの日曜日の午後だった。朝方ぱらぱらと降ったりやんだりしていた雨も昼前には完全にあがり、低くたれこめていたうっとうしい雨雲は南からの風に追い払われるように姿を消していた。鮮かな緑色をした桜の葉が風に揺れ、太陽の光をきらきらと反射させていた。日射しはもう初夏のものだった。すれちがう人々はセーターや上着を脱いで、肩にかけたり腕にかかえたりしていた。日曜日の午後のあたたかい日差しの下では、誰もがみんな幸せそうに見えた。土手の向うに見えるテニス・コートでは若い男がシャツを脱いでショート・パンツ一枚になってラケットを振っていた。並んでベンチに座った二人の修道尼《シスター》だけがきちんと黒い冬の制服を身にまとっていて、彼女たちのまわりにだけは夏の光もまだ届いていないように思えるのだが、それでも二人は満ち足りた顔つきで日なたでの会話を楽しんでいた。

十五分も歩くと背中に汗がにじんできたので、僕は厚い木綿のシャツを脱いでTシャツ一枚になった。彼女は淡いグレーのトレーナー・シャツの袖を肘の上までたくしあげていた。よく洗いこまれたものらしく、ずいぶん感じよく色が褪せていた。ずっと前にそれと同じシャツを彼女が着ているのを見たことがあるような気がしたが、はっきりとした記憶があるわけではない。ただそんな気がしただけだった。直子について当時僕はそれほど多くのことを覚えていたわけではなかった。

「共同生活ってどう？　他の人たちと一緒に暮すのって楽しい？」と直子は訊ねた。

「よくわからないよ。まだ一ヵ月ちょっとしか経ってないからね」と僕は言った。「でもそれほど悪くはないね。少くとも耐えがたいというようなことはないな」

彼女は水飲み場の前で立ち止まって、ほんのひとくちだけ水を飲み、ズボンのポケットから白いハンカチを出して口を拭いた。それから身をかがめて注意深く靴の紐をしめなおした。

「ねえ、私にもそういう生活できると思う？」

「共同生活のこと？」

「そう」と直子は言った。

「どうかな、そういうのって考え方次第だからね。煩わしいことは結構あるといえばある。規則はうるさいし、下らない奴が威張ってるし、同居人は朝の六時半にラジオ体操を始めるしね。でもそういうのはどこにいったって同じだと思えば、とりたてて気にはならない。ここで暮すしかないんだと思えば、それなりに暮せる。そういうことだよ」

「そうね」と言って彼女は肯き、しばらく何かに思いをめぐらせているようだった。そして珍しいものでものぞきこむみたいに僕の目をじっと見た。よく見ると彼女の目はどきりとするくらい深くすきとおっていた。彼女がそんなすきとおった目をしていることに僕はそれまで気がつかなかった。考えてみれば直子の目をじっと見るような機会もなかったのだ。二人きりで歩くのも初めてだし、こんなに長く話をするのも初めてだった。

「寮か何かに入るつもりなの？」と僕は訊いてみた。

「ううん、そうじゃないのよ」と直子は言った。「ただ私、ちょっと考えてたのよ。共同生活をするのってどんなだろうって。そしてそれはつまり……」、直子は唇を噛みながら適当な言葉なり表現を探していたが、結局それはみつからなかったようだった。彼女はため息をついて目を伏せた。「よくわからないわ、いいのよ」

それが会話の終りだった。直子は再び東に向って歩きはじめ、僕はその少しうしろを歩いた。

直子と会ったのは殆んど一年ぶりだった。一年のあいだに直子は見違えるほどやせていた。特徴的だったふっくらとした頰の肉もあらかた落ち、首筋もすっかり細くなっていたが、やせたといっても骨ばっているとか不健康とかいった印象はまるでなかった。彼女のやせ方はとても自然でもの静かに見えた。まるでどこか狭くて細長い場所にそっと身を隠しているうちに体が勝手に細くなってしまったんだという風だった。そして直子は僕がそれまで考えていたよりずっと綺麗だった。僕はそれについて直子に何か言おうとしたが、どう表現すればいいのかわからなかったので結局は何も言わなかった。

我々は何かの目的があってここに来たわけではなかった。僕と直子は中央線の電車の中で偶然出会った。彼女は一人で映画でも見ようかと思って出てきたところで、僕は神田の本屋に行くところだった。べつにどちらもたいした用事があるわけではなかった。降りましょうよと直子が言って、我々は電車を降りた。それがたまたま四ツ谷駅だったというだけのことなのだ。もっとも二人きりになってしまうと我々には話しあうべき話題なんてとくに何もなかった。直子がどうして電車を降りようと言いだしたのか、僕には全然理解できなかった。話題なんてそもそもの最初からないのだ。

駅の外に出ると、彼女はどこに行くとも言わずにさっさと歩きはじめた。僕は仕方なくそのあとを追うように歩いた。直子と僕のあいだには常に一メートルほどの距離があいていた。もちろんその距離を詰めようと思えば詰めることもできたのだが、なんとなく気おくれがしてそれができなかった。僕は直子の一メートルほどうしろを、彼女の背中とまっすぐな黒い髪を見ながら歩いた。彼女は茶色の大きな髪どめをつけていて、横を向くと小さな白い耳が見えた。時々直子はうしろを振り向いて僕に話しかけた。うまく答えられることもあれば、どう答えればいいのか見当もつかないようなこともあった。何を言っているのか聞きとれないということもあった。しかし、僕に聞こえても聞こえなくてもそんなことは彼女にはどちらでもいいみたいだった。直子は自分の言いたいことだけを言ってしまうと、また前を向いて歩きつづけた。まあいいや、散歩には良い日和だものな、と僕は思ってあきらめた。

しかし散歩というには直子の歩き方はいささか本格的すぎた。彼女は飯田橋で右に折れ、お堀ばたに出て、それから神保町の交差点を越えてお茶の水の坂を上り、そのまま本郷に抜けた。そして都電の線路に沿って駒込まで歩いた。ちょっとした道のりだ。駒込に着いたときには日はもう沈んでいた。穏かな春の夕暮だった。

「ここはどこ？」と直子がふと気づいたように訊ねた。

「駒込」と僕は言った。「知らなかったの？　我々はぐるっと回ったんだよ」

「どうしてこんなところに来たの？」

「君が来たんだよ。僕はあとをついてきただけ」

我々は駅の近くのそば屋に入って軽い食事をした。喉が乾いたので僕は一人でビールを飲んだ。注文してから食べ終るまで我々は一言も口をきかなかった。僕は歩き疲れていささかぐったりとしていたし、彼女はテーブルの上に両手を置いてまた何かを考えこんでいた。TVのニュースが今日の日曜日は行楽地はどこもいっぱいでしたと告げていた。そして我々は四ツ谷から駒込まで歩きました、と僕は思った。

「ずいぶん体が丈夫なんだね」と僕はそばを食べ終ったあとで言った。

「びっくりした？」

「うん」

「これでも中学校の頃には長距離の選手で十キロとか十五キロとか走ってたのよ。それに父親が山登りが好きだったせいで、小さい頃から日曜日になると山登りしてたの。ほら、家の裏がもう山でしょ？　だから自然に足腰が丈夫になっちゃったの」

「そうは見えないけどね」と僕は言った。

「そうなの。みんな私のことをすごく華奢な女の子だと思うのね。でも人は見かけによらないのよ」と彼女はそう言ってから付けたすように少しだけ笑った。

「申しわけないけれど僕の方はかなりくたくただよ」

「ごめんなさいね、一日中つきあわせちゃって」

「でも君と話ができてよかったよ。だって二人で話をしたことなんて一度もなかったものな」と僕は言ったが、何を話したのか思いだそうとしてもさっぱり思いだせなかった。

彼女はテーブルの上の灰皿をとくに意味もなくいじりまわしていた。

「ねえ、もしよかったら——もしあなたにとって迷惑じゃなかったらということなんだけど——私たちまた会えるかしら？　もちろんこんなこと言える筋合じゃないことはよくわかっているんだけど」

「筋合？」と僕はびっくりして言った。「筋合じゃないってどういうこと？」

彼女は赤くなった。たぶん僕は少しびっくりしすぎたのだろう。

「うまく説明できないのよ」と直子は弁解するように言った。彼女はトレーナー・シャツの両方の袖を肘の上までひっぱりあげ、それからまたもとに戻した。電灯がうぶ毛をきれいな黄金色に染めた。「筋合なんて言うつもりはなかったの。もっと違った風に言うつもりだったの」

直子はテーブルに肘をついて、しばらく壁にかかったカレンダーを見ていた。そこに何か適当な表現を見つけることができるんじゃないかと期待して見ているようにも見えた。でももちろんそんなものは見つからなかった。彼女はため息をついて目を閉じ、髪どめをいじった。

「かまわないよ」と僕は言った。「君の言おうとしてることはなんとなくわかるから。僕にもどう言えばいいのかわからないけどさ」

「うまくしゃべることができないの」と直子は言った。「ここのところずっとそういうのがつづいてるのよ。何か言おうとしても、いつも見当ちがいな言葉しか浮かんでこないの。見当ちがいだったり、あるいは全く逆だったりね。それでそれを訂正しようとすると、もっと余計に混乱して見当ちがいになっちゃうし、そうすると最初に自分が何を言おうとしていたのかがわからなくなっちゃうの。まるで自分の体がふたつに分かれていてね、追いかけっこをしてるみたいなそんな感じなの。まん中にすごく太い柱が建っていてね、そこのまわりをぐるぐるとまわりながら追いかけっこしているのよ。ちゃんとした言葉っていうのはいつももう一人の私が抱えていて、こっちの私は絶対にそれに追いつけないの」

直子は顔を上げて僕の目を見つめた。

「そういうのってわかる？」

「多かれ少なかれそういう感じって誰にでもあるものだよ」と僕は言った。「みんな自分を表現しようとして、でも正確に表現できなくてそれでイライラするんだ」

僕がそう言うと、直子は少しがっかりしたみたいだった。

「それとはまた違うの」と直子は言ったが、それ以上は何も説明しなかった。

「会うのは全然かまわないよ」と僕は言った。「どうせ日曜日ならいつも暇でごろごろしているし、歩くのは健康にいいしね」

我々は山手線に乗り、直子は新宿で中央線に乗りかえた。彼女は国分寺に小さなアパートを借りて暮していたのだ。

「ねえ、私のしゃべり方って昔と少し変った？」と別れ際に直子が訊いた。

「少し変ったような気がするね」と僕は言った。「でも何がどう変ったのかはよくわからないな。正直言って、あの頃はよく顔をあわせていたわりにあまり話をしたという記憶がないから」

「そうね」と彼女もそれを認めた。「今度の土曜日に電話かけていいかしら？」

「いいよ、もちろん。待っているよ」と僕は言った。

＊

はじめて直子に会ったのは高校二年生の春だった。彼女もやはり二年生で、ミッション系の品の良い女子校に通っていた。あまり熱心に勉強をすると「品がない」とうしろ指をさされるくらい品の良い学校だった。僕にはキズキという仲の良い友人がいて（仲が良いというよりは僕の文字どおり唯一の友人だった）、直子は彼の恋人だった。キズキと彼女とは殆んど生まれ落ちた時からの幼なじみで、家も二百メートルとは離れていなかった。

多くの幼なじみのカップルがそうであるように、彼らの関係は非常にオープンだったし、二人きりでいたいというような願望はそれほどは強くはないようだった。二人はしょっちゅうお互いの家を訪問しては夕食を相手の家族と一緒に食べたり、麻雀をやったりしていた。僕とダブル・デートしたことも何回かある。直子がクラス・メートの女の子をつれてきて、四人で動物園に行ったり、プールに泳ぎに行ったり、映画を観に行ったりした。でも正直なところ直子のつれてくる女の子たちは可愛くはあったけれど、僕には少々上品すぎた。僕としては多少がさつではあるけれど気楽に話ができる公立高校のクラス・メートの女の子たちの方が性にあっていた。直子のつれてくる女の子たちがその可愛いらしい頭の中でいったい何を考えているのか、僕にはさっぱり理解できなかった。たぶん彼女たちにも僕のことは理解できなかったんじゃないかと思う。

そんなわけでキズキは僕をダブル・デートに誘うことをあきらめ、我々三人だけでどこかに出かけたり話をしたりするようになった。キズキと直子と僕の三人だった。考えてみれば変な話だが、結果的にはそれがいちばん気楽だったし、うまくいった。四人めが入ると雰囲気がいくぶんぎくしゃくした。三人でいると、それはまるで僕がゲストであり、キズキが有能なホストであり、直子がアシスタントであるTVのトーク番組みたいだった。いつもキズキが一座の中心にいたし、彼はそういうのが上手かった。キズキにはたしかに冷笑的な傾向があって他人からは傲慢だと思われることも多かったが、本質的には親切で公平な男だった。三人でいると彼は直子に対しても僕に対しても同じように公平に話しかけ、冗談を言い、誰かがつまらない思いをしないようにと気を配っていた。どちらかが長く黙っているとそちらにしゃべりかけて相手の話を上手くひきだした。そういうのを見ていると大変だろうなと思ったものだが、実際はたぶんそれほどたいしたことではなかったのだろう。彼には場の空気をその瞬間瞬間で見きわめてそれにうまく対応していける能力があった。またそれに加えて、たいして面白くもない相手の話から面白い部分をいくつもみつけていくことができるというちょっと得がたい才能を持っていた。だから彼と話をしていると、僕は自分がとても面白い人間でとても面白い人生を送っているような気になったものだった。

もっとも彼は決して社交的な人間ではなかった。彼は学校では僕以外の誰とも仲良くはならなかった。あれほど頭が切れて座談の才のある男がどうしてその能力をもっと広い世界に向けず我々三人だけの小世界に集中させることで満足していたのか僕には理解できなかった。そしてどうして彼が僕を選んで友だちにしたのか、その理由もわからなかった。僕は一人で本を読んだり音楽を聴いたりするのが好きなどちらかというと平凡な目立たない人間で、キズキがわざわざ注目して話しかけてくるような他人に抜きんでた何かを持っているわけではなかったからだ。それでも我々はすぐに気があって仲良くなった。彼の父親は歯科医で、腕の良さと料金の高さで知られていた。

「今度の日曜日、ダブル・デートしないか？　俺の彼女が女子校なんだけど、可愛い女の子つれてくるからさ」と知りあってすぐにキズキが言った。いいよ、と僕は言った。そのようにして僕と直子は出会ったのだ。

僕とキズキと直子はそんな風に何度も一緒に時を過したものだが、それでもキズキが一度席を外して二人きりになってしまうと、僕と直子はうまく話をすることができなかった。二人ともいったい何について話せばいいのかわからなかったのだ。実際、僕と直子のあいだには共通する話題なんて何ひとつとしてなかった。だから仕方なく我々は殆んど何もしゃべらずに水を飲んだりテーブルの上のものをいじりまわしたりしていた。そしてキズキが戻ってくるのを待った。キズキが戻ってくると、また話が始まった。直子もあまりしゃべる方ではなかったし、僕もどちらかといえば自分が話すよりは相手の話を聞くのが好きというタイプだったから、彼女と二人きりになると僕としてはいささか居心地が悪かった。相性がわるいとかそういうのではなく、ただ単に話すことがないのだ。

キズキの葬式の二週間ばかりあとで、僕と直子は一度だけ顔をあわせた。ちょっとした用事があって喫茶店で待ちあわせたのだが、用件が済んでしまうとあとはもう何も話すことはなかった。僕はいくつか話題をみつけて彼女に話しかけてみたが、話はいつも途中で途切れてしまった。それに加えて彼女のしゃべり方にはどことなく角《かど》があった。直子は僕に対してなんとなく腹を立てているように見えたが、その理由は僕にはよくわからなかった。そして僕と直子は別れ、一年後に中央線の電車でばったりと出会うまで一度も顔を合わせなかった。

あるいは直子が僕に対して腹を立てていたのは、キズキと最後に会って話をしたのが彼女ではなく僕だったからかもしれない。こういう言い方は良くないとは思うけれど、彼女の気持はわかるような気がする。僕としてもできることならかわってあげたかったと思う。しかし結局のところそれはもう起ってしまったことなのだし、どう思ったところで仕方ない種類のことなのだ。

その五月の気持の良い昼下がりに、昼食が済むとキズキは僕に午後の授業はすっぽかして玉でも撞きにいかないかと言った。僕もとくに午後の授業に興味があるわけではなかったので学校を出てぶらぶらと坂を下って港の方まで行き、ビリヤード屋に入って四ゲームほど玉を撞いた。最初のゲームを軽く僕がとると彼は急に真剣になって残りの三ゲームを全部勝ってしまった。約束どおり僕がゲーム代を払った。ゲームのあいだ彼は冗談ひとつ言わなかった。これはとても珍しいことだった。ゲームが終ると我々は一服して煙草を吸った。

「今日は珍しく真剣だったじゃないか」と僕は訊いてみた。

「今日は負けたくなかったんだよ」とキズキは満足そうに笑いながら言った。

彼はその夜、自宅のガレージの中で死んだ。N360の排気パイプにゴム・ホースをつないで、窓のすきまをガム・テープで目ばりしてからエンジンをふかせたのだ。死ぬまでにどれくらいの時間がかかったのか、僕にはわからない。親戚の病気見舞にでかけていた両親が帰宅してガレージに車を入れようとして扉を開けたとき、彼はもう死んでいた。カー・ラジオがつけっぱなしになって、ワイパーにはガソリン・スタンドの領収書がはさんであった。

遺書もなければ思いあたる動機もなかった。彼に最後に会って話をしたという理由で僕は警察に呼ばれて事情聴取された。そんなそぶりはまったくありませんでした、いつもとまったく同じでした、と僕は取調べの警官に言った。警官は僕に対してもキズキに対してもあまり良い印象は持たなかったようだった。高校の授業を抜けて玉撞きに行くような人間なら自殺したってそれほどの不思議はないと彼は思っているようだった。新聞に小さく記事が載って、それで事件は終った。赤いN360は処分された。教室の彼の机の上にはしばらくのあいだ白い花が飾られていた。

キズキが死んでから高校を卒業するまでの十ヵ月ほどのあいだ、僕はまわりの世界の中に自分の位置をはっきりと定めることができなかった。僕はある女の子と仲良くなって彼女と寝たが、結局半年ももたなかった。彼女は僕に対して何ひとつとして訴えかけてこなかったのだ。僕はたいして勉強をしなくても入れそうな東京の私立大学を選んで受験し、とくに何の感興もなく入学した。その女の子は僕に東京に行かないでくれと言ったが、僕はどうしても神戸の街を離れたかった。そして誰も知っている人間がいないところで新しい生活を始めたかったのだ。

「あなたは私ともう寝ちゃったから、私のことなんかどうでもよくなっちゃったんでしょ？」と彼女は言って泣いた。

「そうじゃないよ」と僕は言った。僕はただその町を離れたかっただけなのだ。でも彼女は理解しなかった。そして我々は別れた。東京に向う新幹線の中で僕は彼女の良い部分や優れた部分を思いだし、自分がとてもひどいことをしてしまったんだと思って後悔したが、とりかえしはつかなかった。そして僕は彼女のことを忘れることにした。

東京について寮に入り新しい生活を始めたとき、僕のやるべきことはひとつしかなかった。あらゆる物事を深刻に考えすぎないようにすること、あらゆる物事と自分のあいだにしかるべき距離を置くこと——それだけだった。僕は緑のフェルトを貼ったビリヤード台や、赤いＮ３６０や机の上の白い花や、そんなものをみんなきれいさっぱり忘れてしまうことにした。火葬場の高い煙突から立ちのぼる煙や、警察の取調べ室に置いてあったずんぐりした形の文鎮や、そんな何もかもをだ。はじめのうちはそれでうまく行きそうに見えた。しかしどれだけ忘れてしまおうとしても、僕の中には何かぼんやりとした空気のかたまりのようなものが残った。そして時が経つにつれてそのかたまりははっきりとした単純なかたちをとりはじめた。僕はそのかたちを言葉に置きかえることができる。それはこういうことだった。

死は生の対極としてではなく、その一部として存在している。

言葉にしてしまうと平凡だが、そのときの僕はそれを言葉としてではなく、ひとつの空気のかたまりとして身のうちに感じたのだ。文鎮の中にも、ビリヤード台の上に並んだ赤と白の四個のボールの中にも死は存在していた。そして我々はそれをまるで細かいちりみたいに肺の中に吸いこみながら生きているのだ。

そのときまで僕は死というものを完全に生から分離した独立的な存在として捉えていた。つまり〈死はいつか確実に我々をその手に捉える。しかし逆に言えば死が我々を捉えるその日まで、我々は死に捉えられることはないのだ〉と。それは僕には至極まともで論理的な考え方であるように思えた。生はこちら側にあり、死は向う側にある。僕はこちら側にいて、向う側にはいない。

しかしキズキの死んだ夜を境にして、僕にはもうそんな風に単純に死を（そして生を）捉えることはできなくなってしまった。死は生の対極存在なんかではない。死は僕という存在の中に本来的に既に含まれているのだし、その事実はどれだけ努力しても忘れ去ることのできるものではないのだ。あの十七歳の五月の夜にキズキを捉えた死は、そのとき同時に僕を捉えてもいたからだ。

僕はそんな空気のかたまりを身のうちに感じながら十八歳の春を送っていた。でもそれと同時に深刻になるまいとも努力していた。深刻になることは必ずしも真実に近づくことと同義ではないと僕はうすうす感じとっていたからだ。しかしどう考えてみたところで死は深刻な事実だった。僕はそんな息苦しい背反性の中で、限りのない堂々めぐりをつづけていた。それは今にして思えばたしかに奇妙な日々だった。生のまっただ中で、何もかもが死を中心にして回転していたのだ。

第三章

次の土曜日に直子は電話をかけてきて、日曜に我々はデートをした。たぶんデートと呼んでいいのだと思う。それ以外に適当な言葉を思いつけない。

我々は前と同じように街を歩き、どこかの店に入ってコーヒーを飲み、また歩き、夕方に食事をしてさよならと言って別れた。彼女はあいかわらずぽつりぽつりとしか口をきかなかったが、べつに本人はそれでかまわないという風だったし、僕もとくに意識しては話さなかった。気が向くとお互いの生活や大学の話をしたが、どれもこれも断片的な話で、それが何かにつながっていくというようなことはなかった。そして我々は過去の話を一切しなかった。我々はだいたいひたすらに町を歩いていた。ありがたいことに東京の町は広く、どれだけ歩いても歩き尽すということはなかった。

我々は殆んど毎週会って、そんな具合に歩きまわっていた。彼女が先に立ち、僕がその少しうしろを歩いた。直子はいろんなかたちの髪どめを持っていて、いつも右側の耳を見せていた。僕はその頃彼女のうしろ姿ばかり見ていたせいで、そういうことだけを今でもよく覚えている。直子は恥かしいときにはよく髪どめを手でいじった。そしてしょっちゅうハンカチで口もとを拭いた。ハンカチで口を拭くのは何かしゃべりたいことがあるときの癖だった。そういうのを見ているうちに、僕は少しずつ直子に対して好感を抱くようになってきた。

彼女は武蔵野のはずれにある女子大に通っていた。英語の教育で有名なこぢんまりとした大学だった。彼女のアパートの近くにはきれいな用水が流れていて、時々我々はそのあたりを散歩した。直子は自分の部屋に僕を入れて食事を作ってくれたりもしたが、部屋の中で僕と二人きりになっても彼女としてはそんなことは気にもしていないみたいだった。余計なものの何もないさっぱりとした部屋で、窓際の隅の方にストッキングが干してなかったら女の子の部屋だとはとても思えないくらいだった。彼女はとても質素に簡潔に暮しており、友だちも殆んどいないようだった。そういう生活ぶりは高校時代の彼女からは想像できないことだった。僕が知っていたかつての彼女はいつも華やかな服を着て、沢山の友だちに囲まれていた。そんな部屋を眺めていると、彼女もやはり僕と同じように大学に入って町を離れ、知っている人が誰もいないところで新しい生活を始めたかったんだろうなという気がした。

「私がここの大学を選んだのは、うちの学校から誰もここに来ないからなのよ」と直子は笑って言った。「だからここに入ったの。私たちみんなもう少しシックな大学に行くのよ。わかるでしょ?」

しかし僕と直子の関係も何ひとつ進歩がないというわけではなかった。少しずつ少しずつ直子は僕に馴れ、僕は直子に馴れていった。夏休みが終って新しい学期が始まると直子はごく自然に、まるで当然のことのように、僕のとなりを歩くようになった。それはたぶん直子が僕を一人の友だちとして認めてくれたしるしだろうと僕は思ったし、彼女のような美しい娘と肩を並べて歩くというのは悪い気持のするものではなかった。我々は二人で東京の町をあてもなく歩きつづけた。坂を上り、川を渡り、線路を越え、どこまでも歩きつづけた。どこに行きたいという目的など何もなかった。ただ歩けばよかったのだ。まるで魂を癒すための宗教儀式みたいに、我々はわきめもふらず歩いた。雨が降れば傘をさして歩いた。

秋がやってきて寮の中庭がけやきの葉で覆い尽された。セーターを着ると新しい季節の匂いがした。僕は靴を一足はきつぶし、新しいスエードの靴を買った。

その頃我々がどんな話をしていたのか、僕にはどうもうまく思いだせない。たぶんたいした話はしていなかったのだと思う。あいかわらず我々は過去の話は一切しなかった。キズキという名前は殆んど我々の話題にはのぼらなかった。我々はあいかわらずあまり多くはしゃべらなかったし、その頃には二人で黙りこんで喫茶店で顔をつきあわせていることにもすっかり馴れてしまっていた。

直子は突撃隊の話を聞きたがっていたので、僕はよくその話をした。突撃隊はクラスの女の子（もちろん地理学科の女の子）と一度デートしたが夕方になってとてもがっかりした様子で戻ってきた。それが六月の話だった。そして彼は僕に「あ、あのさ、ワタナベ君さ、お、女の子とさ、どんな話をするの、いつも？」と質問した。僕がなんと答えたのかは覚えていないが、いずれにせよ彼は質問する相手を完全に間違えていた。七月に誰かが彼のいないあいだにアムステルダムの運河の写真を外し、かわりにサンフランシスコのゴールデン・ゲート・ブリッジの写真を貼っていった。ゴールデン・ゲート・ブリッジを見ながらマスターベーションできるのかどうか知りたいというただそれだけの理由からだった。すごく喜んでやってたぜと僕が適当なことを言うと、誰かがそれを今度は氷山の写真にとりかえた。写真が変るたびに突撃隊はひどく混乱した。

「いったい誰が、こ、こ、こんなことするんだろうね？」と彼は言った。

「さあね、でもいいじゃないか。どれも綺麗な写真だもの。誰がやってるにせよ、ありがたいことじゃない」と僕は慰めた。

「そりゃまあそうだけどさ、気持わるいよね」と彼は言った。

そんな突撃隊の話をすると直子はいつも笑った。彼女が笑うことは少なかったので、僕もよく彼の話をしたが、正直言って彼を笑い話のたねにするのはあまり気持の良いものではなかった。彼はただあまり裕福とはいえない家庭のいささか真面目すぎる三男坊にすぎなかったのだ。そして地図を作ることだけが彼のささやかな人生のささやかな夢なのだ。誰がそれを笑いものにできるだろう?

とはいうものの〈突撃隊ジョーク〉は寮内ではもう既に欠くことのできない話題のひとつになっていたし、今になって僕が収めようと思ったところで収まるものではなかった。そして直子の笑顔を目にするのは僕としてもそれなりに嬉しいことではあった。だから僕はみんなに突撃隊の話を提供しつづけることになった。

直子は僕に一度だけ好きな女の子はいないのかと訊ねた。僕は別れた女の子の話をした。良い子だったし、彼女と寝るのは好きだったし、今でもときどきなつかしく思うけれど、どうしてか心を動かされるということがなかったのだと僕は言った。たぶん僕の心には固い殻のようなものがあって、そこをつき抜けて中に入ってくるものはとても限られているんだと思う、と僕は言った。だからうまく人を愛することができないんじゃないかな、と。

「これまで誰かを愛したことはないの？」と直子は訊ねた。

「ないよ」と僕は答えた。

彼女はそれ以上何も訊かなかった。

秋が終り冷たい風が町を吹き抜けるようになると、彼女はときどき僕の腕に体を寄せた。ダッフル・コートの厚い布地をとおして、僕は直子の息づかいをかすかに感じることができた。彼女は僕の腕に腕を絡めたり、僕のコートのポケットに手をつっこんだり、本当に寒いときには僕の腕にしがみついて震えたりもした。でもそれはただそれだけのことだった。彼女のそんな仕草にはそれ以上の意味は何もなかった。僕はコートのポケットに両手をつっこんだまま、いつもと同じように歩きつづけた。僕も直子もゴム底の靴をはいていたので、二人の足音は殆んど聞こえなかった。道路に落ちた大きなプラタナスの枯葉を踏むときにだけくしゃくしゃという乾いた音がした。そんな音を聴いていると僕は直子のことが可哀そうになった。彼女の求めているのは僕の腕ではなく誰かの腕なのだ。彼女の求めているのは僕の温もりではなく誰かの温もりなのだ。僕が僕自身であることで、僕はなんだかうしろめたいような気持になった。

冬が深まるにつれて彼女の目は前にも増して透明に感じられるようになった。それはどこにも行き場のない透明さだった。時々直子はとくにこれといった理由もなく、何かを探し求めるように僕の目の中をじっとのぞきこんだが、そのたびに僕は淋しいようなやりきれないような不思議な気持になった。

たぶん彼女は僕に何かを伝えたがっているのだろうと僕は考えるようになった。でも直子はそれをうまく言葉にすることができないのだ、と。いや、言葉にする以前に自分の中で把握することができないのだ。だからこそ言葉が出てこないのだ。そして彼女はしょっちゅう髪どめをいじったり、ハンカチで口もとを拭いたり、僕の目をじっと意味もなくのぞきこんだりしているのだ。もしできることなら直子を抱きしめてやりたいと思うこともあったが、いつも迷った末にやめた。ひょっとしたらそのことで直子が傷つくんじゃないかという気がしたからだ。そんなわけで僕らはあいもかわらず東京の町を歩きつづけ、直子は虚空の中に言葉を探し求めつづけた。

寮の連中は直子から電話がかかってきたり、日曜の朝に出かけたりすると、いつも僕を冷やかした。まあ当然といえば当然のことだが、僕に恋人ができたものとみんな思いこんでいたのだ。説明のしようもないし、する必要もないので、僕はそのままにしておいた。夕方に戻ってくると必ず誰かがどんな体位でやったかとか彼女のあそこはどんな具合だったかとか下着は何色だったかとか、そういう下らない質問をし、僕はそのたびにいい加減に答えておいた。

＊

そのようにして僕は十八から十九になった。日が昇り日が沈み、国旗が上ったり下ったりした。そして日曜日が来ると死んだ友だちの恋人とデートした。いったい自分が今何をしているのか、これから何をしようとしているのかさっぱりわからなかった。大学の授業でクローデルを読み、ラシーヌを読み、エイゼンシュテインを読んだが、それらの本は僕に殆んど何も訴えかけてこなかった。僕は大学のクラスでは一人も友だちを作らなかったし、寮でのつきあいも通りいっぺんのものだった。寮の連中はいつも一人で本を読んでいるので僕が作家になりたがっているんだと思いこんでいるようだったが、僕はべつに作家になんてなりたいとは思わなかった。何にもなりたいとは思わなかった。

僕はそんな気持を直子に何度か話そうとした。彼女なら僕の考えていることをある程度正確にわかってくれるんじゃないかという気がしたからだ。しかしそれを表現するための言葉がみつからなかった。変なもんだな、と僕は思った。これじゃまるで彼女の言葉探し病が僕の方に移ってしまったみたいじゃないか、と。

土曜の夜になると僕は電話のある玄関ロビーの椅子に座って、直子からの電話を待った。土曜の夜にはみんなだいたい外に遊びに出ていたから、ロビーはいつもより人も少くしんとしていた。僕はいつもそんな沈黙の空間にちらちらと浮かんでいる光の粒子を見つめながら、自分の心を見定めようと努力してみた。いったい俺は何を求めてるんだろう？そしていったい人は俺に何を求めているんだろう？ しかし答らしい答は見つからなかった。僕はときどき空中に漂う光の粒子に向けて手を伸ばしてみたが、その指先は何にも触れなかった。

*

僕はよく本を読んだが、沢山本を読むという種類の読書家ではなく、気に入った本を何度も読みかえすことを好んだ。僕が当時好きだったのはトルーマン・カポーティ、ジョン・アップダイク、スコット・フィッツジェラルド、レイモンド・チャンドラーといった作家たちだったが、クラスでも寮でもそういうタイプの小説を好んで読む人間は一人も見あたらなかった。彼らが読むのは高橋和巳や大江健三郎や三島由紀夫、あるいは現代のフランスの作家の小説が多かった。だから当然話もかみあわなかったし、僕は一人で黙々と本を読みつづけることになった。そして本を何度も読みかえし、ときどき目を閉じて本の香りを胸に吸いこんだ。その本の香りをかぎ、ページに手を触れているだけで、僕は幸せな気持になることができた。

十八歳の年の僕にとって最高の書物はジョン・アップダイクの「ケンタウロス」だったが何度か読みかえすうちにそれは少しずつ最初の輝きを失って、フィッツジェラルドの「グレート・ギャツビイ」にベスト・ワンの地位をゆずりわたすことになった。そして「グレート・ギャツビイ」はその後ずっと僕にとっては最高の小説でありつづけた。僕は気が向くと書棚から「グレート・ギャツビイ」をとりだし、出鱈目にページを開き、その部分をひとしきり読むことを習慣にしていたが、ただの一度も失望させられることはなかった。一ページとしてつまらないページはなかった。なんて素晴しいんだろうと僕は思った。そして人々にその素晴しさを伝えたいと思った。しかし僕のまわりには「グレート・ギャツビイ」を読んだことのある人間なんていなかったし、読んでもいいと思いそうな人間すらいなかった。一九六八年にスコット・フィッツジェラルドを読むというのは反動とまではいかなくとも、決して推奨される行為ではなかった。

その当時僕のまわりで「グレート・ギャツビイ」を読んだことのある人間はたった一人しかいなかったし、僕と彼が親しくなったのもそのせいだった。彼は永沢という名の東大の法学部の学生で、僕より学年がふたつ上だった。我々は同じ寮に住んでいて、一応お互い顔だけは知っているという間柄だったのだが、ある日僕が食堂の日だまりで日なたぼっこをしながら「グレート・ギャツビイ」を読んでいると、となりに座って何を読んでいるのかと訊いた。「グレート・ギャツビイ」だと僕は言った。面白いかと彼は訊いた。通して読むのは三度めだが読みかえせば読みかえすほど面白いと感じる部分がふえてくると僕は答えた。

「『グレート・ギャツビイ』を三回読む男なら俺と友だちになれそうだな」と彼は自分に言いきかせるように言った。そして我々は友だちになった。十月のことだった。

永沢という男はくわしく知るようになればなるほど奇妙な男だった。僕は人生の過程で数多くの奇妙な人間と出会い、知り合い、すれちがってきたが、彼くらい奇妙な人間にはまだお目にかかったことはない。彼は僕なんかはるかに及ばないくらいの読書家だったが、死後三十年を経ていない作家の本は原則として手にとろうとはしなかった。そういう本しか俺は信用しない、と彼は言った。

「現代文学を信用しないというわけじゃないよ。ただ俺は時の洗礼を受けてないものを読んで貴重な時間を無駄に費したくないんだ。人生は短かい」

「永沢さんはどんな作家が好きなんですか？」と僕は訊ねてみた。

「バルザック、ダンテ、ジョセフ・コンラッド、ディッケンズ」と彼は即座に答えた。

「あまり今日性のある作家とは言えないですね」

「だから読むのさ。他人と同じものを読んでいれば他人と同じ考え方しかできなくなる。そんなものは田舎者、俗物の世界だ。まともな人間はそんな恥かしいことはしない。なあ知ってるか、ワタナベ？　この寮で少しでもまともなのは俺とお前だけだぞ。あとはみんな紙屑みたいなもんだ」

「どうしてそんなことがわかるんですか？」と僕はあきれて質問した。

「俺にはわかるんだよ。おでこにしるしがついてるみたいにちゃんとわかるんだよ、見ただけで。それに俺たち二人とも『グレート・ギャツビイ』を読んでる」

　僕は頭の中で計算してみた。「でもスコット・フィッツジェラルドが死んでからまだ二十八年しか経っていませんよ」

「構うもんか、二年くらい」と彼は言った。「スコット・フィッツジェラルドくらいの立派な作家はアンダー・パーでいいんだよ」

　もっとも彼が隠れた古典小説の読書家であることは寮内ではまったく知られていなかったし、もし知られたとしても殆んど注目を引くことはなかっただろう。彼はなんといってもまず第一に頭の良さで知られていた。何の苦もなく東大に入り、文句のない成績をとり、公務員試験を受けて外務省に入り、外交官になろうとしていた。父親は名古屋で大きな病院を経営し、兄はやはり東大の医学部を出て、そのあとを継ぐことになっていた。まったく申しぶんのない一家みたいだった。小づかいもたっぷり持っていたし、おまけに風采も良かった。だから誰もが彼に一目置いたし、寮長でさえ永沢さんに対してだけは強いことは言えなかった。彼が誰かに何かを要求すると、言われた人間は文句ひとつ言わずにそのとおりにした。そうしないわけにはいかなかったのだ。

永沢という人間の中にはごく自然に人をひきつけ従わせる何かが生まれつき備わっているようだった。人々の上に立って素速く状況を判断し、人々に手際よく的確な指示を与え、人々を素直に従わせるという能力である。彼の頭上にはそういう力が備わっていることを示すオーラが天使の輪のようにぽっかりと浮かんでいて、誰もが一目見ただけで「この男は特別な存在なんだ」と思っておそれいってしまうわけである。だから僕のようなこれといって特徴もない男が永沢さんの個人的な友人に選ばれたことに対してみんなはひどく驚いたし、そのせいで僕はよく知りもしない人間からちょっとした敬意を払われまでした。でもみんなにはわかっていなかったようだけれど、その理由はとても簡単なことなのだ。永沢さんが僕を好んだのは、僕が彼に対してちっとも敬服も感心もしなかったせいなのだ。僕は彼の人間性の非常に奇妙な部分、入りくんだ部分に興味を持ちはしたが、成績の良さだとかオーラだとか男っぷりだとかには一片の関心も持たなかった。彼としてはそういうのがけっこう珍しかったのだろうと思う。

永沢さんはいくつかの相反する特質をきわめて極端なかたちであわせ持った男だった。彼は時として僕でさえ感動してしまいそうなくらい優しく、それと同時におそろしく底意地がわるかった。びっくりするほど高貴な精神を持ちあわせていると同時に、どうしようもない俗物だった。人々を率いて楽天的にどんどん前に進んで行きながら、その心は孤独に陰鬱な泥沼の底でのたうっていた。僕はそういう彼の中の背反性を最初からはっきりと感じとっていたし、他の人々にどうしてそういう彼の面が見えないのかさっぱり理解できなかった。この男はこの男なりの地獄を抱えて生きているのだ。

しかし原則的には僕は彼に対して好意を抱いていたと思う。彼の最大の美徳は正直さだった。彼は決して嘘をつかなかったし、自分のあやまちや欠点はいつもきちんと認めた。自分にとって都合のわるいことを隠したりもしなかった。そして僕に対しては彼はいつも変ることなく親切だったし、あれこれと面倒をみてくれた。彼がそうしてくれなかったら、僕の寮での生活はもっとずっとややっこしく不快なものになっていただろうと思う。それでも僕は彼には一度も心を許したことはなかったし、そういう面では僕と彼との関係は僕とキズキとの関係とはまったく違った種類のものだった。僕は永沢さんが酔払ってある女の子に対しておそろしく意地わるくあたるのを目にして以来、この男にだけは何があっても心を許すまいと決心したのだ。

永沢さんは寮内でいくつかの伝説を持っていた。まずひとつは彼がナメクジを三匹食べたことがあるというものであり、もうひとつは彼が非常に大きいペニスを持っていて、これまでに百人は女と寝たというものだった。

ナメクジの話は本当だった。僕が質問すると、彼はああ本当だよ、それ、と言った。

「でかいの三匹飲んだよ」

「どうしてそんなことしたんですか?」

「まあいろいろとあってな」と彼は言った。「俺がこの寮に入った年、新入生と上級生のあいだでちょっとしたごたごたがあったんだ。九月だったな、たしか。それで俺が新入生の代表格として上級生のところに話をつけに行ったのさ。相手は右翼で、木刀なんか持っててな、とても話がまとまる雰囲気じゃない。それで俺はわかりました、俺ですむことならなんでもしましょう、だからそれで話をまとめて下さいって言ったよ。そしたらお前ナメクジ飲めって言うんだ。いいですよ、飲みましょうって言ったよ。それで飲んだんだ。あいつらでかいの三匹もあつめてきやがったんだ」

「どんな気分でした?」

「どんな気分も何も、ナメクジを飲むときの気分って、ナメクジを飲んだことのある人間にしかわからないよな。こうナメクジがヌラッと喉もとをとおって、ツウッと腹の中に落ちていくのって本当にたまらないぜ、そりゃ。冷たくって、口の中にあと味がのこってさ。思い出してもゾッとするね。ゲエゲエ吐きたいのを死にものぐるいでおさえたよ、だって吐いたりしたらまた飲みなおしだもんな。そして俺はとうとう三匹全部飲んだよ」

「飲んじゃってからどうしました」

「もちろん部屋に帰って塩水がぶがぶ飲んださ」と永沢さんは言った。「だって他にどうしようがある」

「まあそうですね」と僕も認めた。

「でもそれ以来、誰も俺に対して何も言えなくなったよ。上級生も含めて誰もだよ。あんなナメクジ三匹も飲める人間なんて俺の他には誰もいないんだ」

「いないでしょうね」と僕は言った。


ペニスの大きさを調べるのは簡単だった。一緒に風呂に入ればいいのだ。たしかにそれはなかなか立派なものだった。百人もの女と寝たというのは誇張だった。七十五人くらいじゃないかな、と彼はちょっと考えてから言った。よく覚えてないけど七十はいってるよ、と。僕が一人としか寝てないと言うと、そんなの簡単だよ、お前、と彼は言った。

「今度俺とやりに行こうよ。大丈夫、すぐやれるから」

僕はそのとき彼の言葉をまったく信じなかったけれど、実際にやってみると本当に簡単だった。あまりに簡単すぎて気が抜けるくらいだった。彼と一緒に渋谷か新宿のバーだかスナックだかに入って（店はだいたいいつもきまっていた）、適当な女の子の二人連れをみつけて話をし（世界は二人づれの女の子で充ちていた）、酒を飲み、それからホテルに入ってセックスした。とにかく彼は話がうまかった。べつに何かたいしたことを話すわけでもないのだが、彼が話していると女の子たちはみんな大抵ぼおっと感心して、その話にひきずりこまれ、ついついお酒を飲みすぎて酔払って、それで彼と寝てしまうことになるのだ。おまけに彼はハンサムで、親切で、よく気が利いたから、女の子たちは一緒にいるだけでなんだかいい気持になってしまうのだ。そして、これは僕としてはすごく不思議なのだけれど、彼と一緒にいることで僕までがどうも魅力的な男のように見えてしまうらしかった。僕が永沢さんにせかされて何かをしゃべると女の子たちは彼に対するのと同じように僕の話にたいしてひどく感心したり笑ったりしてくれるのである。全部永沢さんの魔力のせいなのである。まったくたいした才能だなあと僕はそのたびに感心した。こんなのに比べれば、キズキの座談の才なんて子供だましのようなものだった。まるでスケールがちがうのだ。それでも永沢さんのそんな能力にまきこまれながらも、僕はキズキのことをとても懐しく思った。キズキは本当に誠実な男だったんだなと僕はあらためて思った。彼は自分のそんなささやかな才能を僕と直子だけのためにとっておいてくれたのだ。それに比べると永沢さんはその圧倒的な才能をゲームでもやるみたいにあたりにばらまいていた。だいたい彼は前にいる女の子たちと本気で寝たがっているというわけではないのだ。彼にとってはそれはただのゲームにすぎないのだ。

僕自身は知らない女の子と寝るのはそれほど好きではなかった。性欲を処理する方法としては気楽だったし、女の子と抱きあったり体をさわりあったりしていること自体は楽しかった。僕が嫌なのは朝の別れ際だった。目がさめるととなりに知らない女の子がぐうぐう寝ていて、部屋中に酒の匂いがして、ベッドも照明もカーテンも何もかもがラブ・ホテル特有のけばけばしいもので、僕の頭は二日酔いでぼんやりしている。やがて女の子が目を覚まして、もそもそと下着を探しまわる。そしてストッキングをはきながら「ねえ、昨夜《ゆうべ》ちゃんとアレつけてくれた？　私ばっちり危い日だったんだから」と言う。そして鏡に向って頭が痛いだの化粧がうまくのらないだのとぶつぶつ文句を言いながら、口紅を塗ったりまつ毛をつけたりする。そういうのが僕は嫌だった。だから本当は朝までいなければいいのだけれど、十二時の門限を気にしながら女の子を口説くわけにもいかないし（そんなことは物理的に不可能である）、どうしても外泊許可をとってくりだすことになる。

そうすると朝までそこにいなければならないということになり、自己嫌悪と幻滅を感じながら寮に戻ってくるというわけだ。日の光がひどく眩しく、口の中がざらざらして、頭はなんだか他の誰かの頭みたいに感じられる。

僕は三回か四回そんな風に女の子と寝たあとで、永沢さんに質問してみた。こんなことを七十回もつづけていて空しくならないのか、と。

「お前がこういうのを空しいと感じるなら、それはお前がまともな人間である証拠だし、それは喜ばしいことだ」と彼は言った。「知らない女と寝てまわって得るものなんて何もない。疲れて、自分が嫌になるだけだ。そりゃ俺だって同じだよ」

「じゃあどうしてあんなに一所懸命やるんですか？」

「それを説明するのはむずかしいな。ほら、ドストエフスキーが賭博について書いたものがあったろう？ あれと同じだよ。つまりさ、可能性がまわりに充ちているときに、それをやりすごして通りすぎるというのは大変にむずかしいことなんだ。それ、わかるか？」

「なんとなく」と僕は言った。

「日が暮れる、女の子が町に出てきてそのへんをうろうろして酒を飲んだりしている。彼女たちは何かを求めていて、俺はその何かを彼女たちに与えることができるんだ。それは本当に簡単なことなんだよ。水道の蛇口をひねって水を飲むのと同じくらい簡単なことなんだ。そんなのアッという間に落とせるし、向うだってそれを待ってるのさ。それが可能性というものだよ。そういう可能性が目の前に転がっていて、それをみすみすやりすごせるか？　自分に能力があって、その能力を発揮できる場があって、お前は黙って通りすぎるかい？」

「そういう立場に立ったことないから僕にはよくわかりませんね。どういうものだか見当もつかないな」と僕は笑いながら言った。

「ある意味では幸せなんだよ、それ」と永沢さんは言った。

家が裕福でありながら永沢さんが寮に入っているのは、その女遊びが原因だった。東京に出て一人暮しなんかしたらどうしようもなく女と遊びまわるんじゃないかと心配した父親が四年間寮暮しをすることを強制したのだ。もっとも永沢さんにとってはそんなものはどちらでもいいことで、彼は寮の規則なんかたいして気にしないで好きに暮していた。気が向くと外泊許可をとってガール・ハントにいったり、恋人のアパートに泊りに行ったりしていた。外泊許可をとるのはけっこう面倒なのだが、彼の場合は殆んどフリー・パスだったし、彼が口をきいてくれる限り僕のも同様だった。

永沢さんには大学に入ったときからつきあっているちゃんとした恋人がいた。ハツミさんという彼と同じ歳の人で、僕も何度か顔をあわせたことがあるが、とても感じの良い女性だった。はっと人目を引くような美人ではないし、どちらかというと平凡といってもいい外見だったからどうして永沢さんのような男がこの程度の女と、と最初は思うのだけれど、少し話をすると誰もが彼女に好感を持たないわけにはいかなかった。彼女はそういうタイプの女性だった。穏かで、理知的で、ユーモアがあって、思いやりがあって、いつも素晴しく上品な服を着ていた。僕は彼女が大好きだったし、自分にもしこんな恋人がいたら他のつまらない女となんか寝たりしないだろうと思った。彼女も僕のことを気に入ってくれて、僕に彼女のクラブの下級生の女の子を紹介するから四人でデートしましょうよと熱心に誘ってくれたが、僕は過去の失敗をくりかえしたくなかったので、適当なことを言っていつも逃げていた。ハツミさんの通っている大学はとびっきりのお金持の娘があつまることで有名な女子大だったし、そんな女の子たちと僕が話があうわけがなかった。

彼女は永沢さんがしょっちゅう他の女の子と寝てまわっていることをだいたいは知っていたが、そのことで彼に文句を言ったことは一度もなかった。彼女は永沢さんのことを真剣に愛していたが、それでいて彼に何ひとつ押しつけなかった。

「俺にはもったいない女だよ」と永沢さんは言った。そのとおりだと僕も思った。

＊

冬に僕は新宿の小さなレコード店でアルバイトの口をみつけた。給料はそれほど良くはなかったけれど、仕事は楽だったし、週に三回の夜番だけでいいというのも都合がよかった。レコードも安く買えた。クリスマスに僕は直子の大好きな「ディア・ハート」の入ったヘンリー・マンシーニのレコードを買ってプレゼントした。僕が自分で包装して赤いリボンをかけた。直子は僕に自分で編んだ毛糸の手袋をプレゼントしてくれた。親指の部分がいささか短かすぎたが、暖かいことは暖かかった。

「ごめんなさい。私すごく不器用なの」と直子は赤くなって恥かしそうに言った。

「大丈夫。ほら、ちゃんと入るよ」と僕は手袋をはめてみせた。

「でもこれでコートのポケットに手をつっこまなくて済むでしょ？」と直子は言った。

直子はその冬神戸には帰らなかった。僕も年末までアルバイトをしていて、結局なんとなくそのまま東京にいつづけてしまった。神戸に帰ったところで何か面白いことがあるわけでもないし、会いたい相手がいるわけでもないのだ。正月のあいだ寮の食堂は閉ったので僕は彼女のアパートで食事をさせてもらった。二人で餅を焼いて、簡単な雑煮を作って食べた。

一九六九年の一月から二月にかけてはけっこういろんなことが起った。

一月の末に突撃隊が四十度近い熱を出して寝こんだ。おかげで僕は直子とのデートをすっぽかしてしまうことになった。僕はあるコンサートの招待券を二枚苦労して手に入れて、直子をそれに誘ったのだ。オーケストラは直子の大好きなブラームスの四番のシンフォニーを演奏することになっていて、彼女はそれを楽しみにしていた。しかし突撃隊はベッドの上をごろごろ転げまわって今にも死ぬんじゃないかという苦しみようだったし、それを放ったらかして出かけるというわけにもいかなかった。僕にかわって彼の看病をやってくれそうな物好きな人間もみつからなかった。僕は氷を買ってきて、ビニール袋を何枚かかさねて氷のうを作り、タオルを冷して汗を拭き、一時間ごとに熱を測り、シャツまでとりかえてやった。熱はまる一日引かなかった。しかし二日めの朝になると彼はむっくりと起きあがり、何事もなかったように体操を始めた。体温を測ってみると三十六度二分だった。人間とは思えなかった。

「おかしいなあ、これまで熱なんか出したこと一度もなかったんだけどな」と突撃隊はそれがまるで僕の過失であるような言い方をした。

「でも出たんだよ」と僕は頭に来て言った。そして彼の発熱のおかげでふいにした二枚の切符を見せた。

「でもまあ招待券で良かったよ」と突撃隊は言った。僕は彼のラジオをひっつかんで窓から放り投げてやろうと思ったが、頭が痛んできたのでまたベッドにもぐりこんで眠った。

二月には何度か雪が降った。

二月の終り頃に僕はつまらないことで喧嘩をして寮の同じ階に住む上級生を殴った。相手はコンクリートの壁に頭をぶっつけた。幸いたいした怪我はなかったし、永沢さんがうまく事を収めてくれたのだが、僕は寮長室に呼ばれて注意を受けたし、それ以来寮の住み心地もなんとなく悪くなった。

そのようにして学年が終り、春がやってきた。僕はいくつか単位を落とした。成績は平凡なものだった。大半がCかDで、Bが少しあるだけだった。直子の方は単位をひとつも落とすことなく二年生になった。季節がひとまわりしたのだ。

四月半ばに直子は二十歳になった。僕は十一月生まれだから、彼女の方が約七ヵ月年上ということになる。直子が二十歳になるというのはなんとなく不思議な気がした。僕にしても直子にしても本当は十八と十九のあいだを行ったり来たりしている方が正しいんじゃないかという気がした。十八の次が十九で、十九の次が十八、——それならわかる。でも彼女は二十歳になった。そして秋には僕も二十歳になるのだ。死者だけがいつまでも十七歳だった。

直子の誕生日は雨だった。僕は学校が終ってから近くでケーキを買って電車に乗り、彼女のアパートまで行った。一応二十歳になったんだから何かしら祝いのようなことをやろうと僕が言いだしたのだ。もし逆の立場だったら僕だって同じことを望むだろうという気がしたからだ。一人ぼっちで二十歳の誕生日を過すというのはきっと辛いものだろう。電車は混んでいて、おまけによく揺れた。おかげで直子の部屋にたどりついたときにはケーキはローマのコロセウムの遺跡みたいな形に崩れていた。それでも用意した小さなロウソクを二十本立て、マッチで火をつけ、カーテンを閉めて電気を消すと、なんとか誕生日らしくなった。直子がワインを開けた。僕らはワインを飲み、少しケーキを食べ、簡単な食事をした。

「二十歳になるなんてなんだか馬鹿みたいだわ」と直子が言った。「私、二十歳になる準備なんて全然できてないのよ。変な気分。なんだかうしろから無理に押し出されちゃったみたいね」

「僕の方はまだ七ヵ月あるからゆっくり準備するよ」と僕は言って笑った。

「良いわね、まだ十九なんて」と直子はうらやましそうに言った。

食事のあいだ僕は突撃隊が新しいセーターを買った話をした。彼はそれまで一枚しかセーターを持っていなかったのだが（紺の高校のスクール・セーター）、やっとそれが二枚になったのだ。新しいのは鹿の編みこみが入った赤と黒の可愛いセーターで、セーター自体は素敵なのだが、彼がそれを着て歩くとみんなが思わず吹きだした。しかし彼にはどうしてみんなが笑うのか全く理解できなかった。

「ワタナベ君、な、何かおかしいところあるのかな？」と彼は食堂で僕のとなりに座ってそう質問した。「顔に何かついてるとか」

「何もついてないし、おかしくないよ」と僕は表情を抑えて言った。「でも良いセーターだね、それ」

「ありがとう」と突撃隊はとても嬉しそうににっこりと笑った。

直子はその話をすると喜んだ。「その人に会ってみたいわ、私。一度でいいから」

「駄目だよ。君、きっと吹きだすもの」と僕は言った。

「本当に吹きだすと思う？」

「賭けてもいいね。僕なんか毎日一緒にいたって、ときどきおかしくて我慢できなくなるんだもの」

食事が終ると二人で食器を片づけ、床に座って音楽を聴きながらワインの残りを飲んだ。僕が一杯飲むあいだに彼女は二杯飲んだ。

直子はその日珍しくよくしゃべった。子供の頃のことや、学校のことや、家庭のことを彼女は話した。どれも長い話で、まるで細密画みたいに克明だった。たいした記憶力だなと僕はそんな話を聞きながら感心していた。しかしそのうちに僕は彼女のしゃべり方に含まれている何かがだんだん気になりだした。何かがおかしいのだ。何かが不自然で歪んでいるのだ。ひとつひとつの話はまともでちゃんと筋もとおっているのだが、そのつながり方がどうも奇妙なのだ。Aの話がいつのまにかそれに含まれるBの話になり、やがてBに含まれるCの話になり、それがどこまでもどこまでもつづいた。終りというものがなかった。僕ははじめのうちは適当に合槌を打っていたのだが、そのうちにそれもやめた。僕はレコードをかけ、それが終ると針を上げて次のレコードをかけた。ひととおり全部かけてしまうと、また最初のレコードをかけた。レコードは全部で六枚くらいしかなく、サイクルの最初は「サージェント・ペパーズ・ロンリー・ハーツ・クラブ・バンド」で、最後はビル・エヴァンスの「ワルツ・フォー・デビー」だった。窓の外では雨が降りつづけていた。時間はゆっくりと流れ、直子は一人でしゃべりつづけていた。

直子の話し方の不自然さは彼女がいくつかのポイントに触れないように気をつけながら話していることにあるようだった。もちろんキズキのこともそのポイントのひとつだったが、彼女が避けているのはそれだけではないように僕には感じられた。彼女は話したくないことをいくつも抱えこみながら、どうでもいいような事柄の細かい部分についていつまでもいつまでもしゃべりつづけた。でも直子がそんなに夢中になって話すのははじめてだったし、僕は彼女にずっとしゃべらせておいた。

しかし時計が十一時を指すと僕はさすがに不安になった。直子はもう四時間以上ノンストップでしゃべりつづけていた。帰りの最終電車のこともあるし、門限のこともあった。僕は頃合を見はからって、彼女の話に割って入った。

「そろそろ引きあげるよ。電車の時間もあるし」と僕は時計を見ながら言った。

でも僕の言葉は直子の耳には届かなかったようだった。あるいは耳には届いても、その意味が理解できないようだった。彼女は一瞬口をつぐんだが、すぐにまた話のつづきを始めた。僕はあきらめて座りなおし、二本めのワインの残りを飲んだ。こうなったら彼女にしゃべりたいだけしゃべらせた方が良さそうだった。最終電車も門限も、何もかもなりゆきにまかせようと僕は心を決めた。

しかし直子の話は長くはつづかなかった。ふと気がついたとき、直子の話は既に終っていた。言葉のきれはしが、もぎとられたような格好で空中に浮かんでいた。正確に言えば彼女の話は終ったわけではなかった。どこかでふっと消えてしまったのだ。彼女はなんとか話しつづけようとしたが、そこにはもう何もなかった。何かが損われてしまったのだ。あるいはそれを損ったのは僕かもしれなかった。僕が言ったことがやっと彼女の耳に届き、時間をかけて理解され、そのせいで彼女をしゃべらせつづけていたエネルギーのようなものが損われてしまったのかもしれない。直子は唇をかすかに開いたまま、僕の目をぼんやりと見ていた。彼女は作動している途中で電源を抜かれてしまった機械みたいに見えた。彼女の目はまるで不透明な薄膜をかぶせられているようにかすんでいた。

「邪魔するつもりなかったんだよ」と僕は言った。「ただ時間がもう遅いし、それに……」

彼女の目から涙がこぼれて頰をつたい、大きな音を立ててレコード・ジャケットの上に落ちた。最初の涙がこぼれてしまうと、あとはもうとめどがなかった。彼女は両手を床についで前かがみになり、まるで吐くような格好で泣いた。僕は誰かがそんなに激しく泣いたのを見たのははじめてだった。僕はそっと手をのばして彼女の肩に触れた。肩はぶるぶると小刻みに震えていた。それから僕は殆んど無意識に彼女の体を抱き寄せた。彼女は僕の腕の中でぶるぶると震えながら声を出さずに泣いた。涙と熱い息のせいで、僕のシャツは湿り、そしてぐっしょりと濡れた。直子の十本の指がまるで何かを——かつてそこにあった大切な何かを——探し求めるように僕の背中の上を彷徨っていた。僕は左手で直子の体を支え、右手でそのまっすぐなやわらかい髪を撫でた。僕は長いあいだそのままの姿勢で直子が泣きやむのを待った。しかし彼女は泣きやまなかった。

*

その夜、僕は直子と寝た。そうすることが正しかったのかどうか、僕にはわからない。二十年近く経った今でも、やはりそれはわからない。たぶん永遠にわからないだろうと思う。でもそのときはそうする以外にどうしようもなかったのだ。彼女は気をたかぶらせていたし、混乱していたし、僕にそれを鎮めてもらいたがっていた。僕は部屋の電気を消し、ゆっくりとやさしく彼女の服を脱がせ、自分の服も脱いだ。そして抱きあった。暖かい雨の夜で、我々は裸のままでも寒さを感じなかった。僕と直子は暗闇の中で無言のままお互いの体をさぐりあった。僕は彼女にくちづけし、乳房をやわらかく手で包んだ。直子は僕の固くなったペニスを握った。彼女のヴァギナはあたたかく濡れて僕を求めていた。

それでも僕が中に入ると彼女はひどく痛がった。はじめてなのかと訊くと、直子は肯いた。それで僕はちょっとわけがわからなくなってしまった。僕はずっとキズキと直子が寝ていたと思っていたからだ。僕はペニスをいちばん奥まで入れて、そのまま動かさずにじっとして、彼女を長いあいだ抱きしめていた。そして彼女が落ちつきを見せるとゆっくりと動かし、長い時間をかけて射精した。最後には直子は僕の体をしっかり抱きしめて声をあげた。僕がそれまでに聞いたオルガズムの声の中でいちばん哀し気な声だった。

全てが終ったあとで僕はどうしてキズキと寝なかったのかと訊いてみた。でもそんなことは訊くべきではなかったのだ。直子は僕の体から手を離し、また声もなく泣きはじめた。僕は押入れから布団を出して彼女をそこに寝かせた。そして窓の外を降りつづける四月の雨を見ながら煙草を吸った。

朝になると雨はあがっていた。直子は僕に背中を向けて眠っていた。あるいは彼女は一睡もせずに起きていたのかもしれない。起きているにせよ眠っているにせよ、彼女の唇は一切の言葉を失い、その体は凍りついたように固くなっていた。僕は何度か話しかけてみたが返事はなかったし、体もぴくりとも動かなかった。僕は長いあいだじっと彼女の裸の肩を見ていたが、あきらめて起きることにした。

床にはレコード・ジャケットやグラスやワインの瓶や灰皿や、そんなものが昨夜のままに残っていた。テーブルの上には形の崩れたバースデー・ケーキが半分残っていた。まるでそこで突然時間が止まって動かなくなってしまったように見えた。僕は床の上にちらばったものを拾いあつめてかたづけ、流しで水を二杯飲んだ。机の上には辞書とフランス語の動詞表があった。机の前の壁にはカレンダーが貼ってあった。写真も絵も何もない数字だけのカレンダーだった。カレンダーは真白だった。書きこみもなければ、しるしもなかった。

僕は床に落ちていた服を拾って着た。シャツの胸はまだ冷たく湿っていた。顔を近づけると直子の匂いがした。僕は机の上のメモ用紙に、君が落ちついたらゆっくりと話がしたいので、近いうちに電話をほしい、誕生日おめでとう、と書いた。そしてもう一度直子の肩を眺め、部屋を出てドアをそっと閉めた。

＊

一週間たっても電話はかかってこなかった。直子のアパートは電話の取りつぎをしてくれなかったので、僕は日曜日の朝に国分寺まで出かけてみた。彼女はいなかったし、ドアについていた名札はとり外されていた。窓はぴたりと雨戸が閉ざされていた。管理人に訊くと、直子は三日前に越したということだった。どこに越したのかはちょっとわからないなと管理人は言った。

僕は寮に戻って彼女の神戸の住所にあてて長文の手紙を書いた。直子がどこに越したにせよ、その手紙は直子あてに転送されるはずだった。

僕は自分の感じていることを正直に書いた。僕にはいろんなことがまだよくわからないし、わかろうとは真剣につとめているけれど、それには時間がかかるだろう。そしてその時間が経ってしまったあとで自分がいったいどこにいるのかは、今の僕には皆目見当もつかない。だから僕は君に何も約束できないし、何かを要求したり、綺麗な言葉を並べるわけにはいかない。だいいち我々はお互いのことをあまりにも知らなさすぎる。でももし君が僕に時間を与えてくれるなら、僕はベストを尽すし、我々はもっとお互いを知りあうことができるだろう。とにかくもう一度君と会って、ゆっくりと話をしたい。キズキを亡くしてしまったあと、僕は自分の気持を正直に語ることのできる相手を失ってしまったし、それは君も同じなんじゃないだろうか。たぶん我々は自分たちが考えていた以上にお互いを求めあっていたんじゃないかと僕は思う。そしてそのおかげで僕らはずいぶんまわりみちをしてしまったし、ある意味では歪んでしまった。たぶん僕はあんな風にするべきじゃなかったのだとも思う。でもそうするしかなかったのだ。そしてあのとき君に対して感じた親密であたたかい気持は僕がこれまで一度も感じたことのない種類の感情だった。返事をほしい。どのような返事でもいいからほしい――そんな内容の手紙だった。

返事はこなかった。

体の中の何かが欠落して、そのあとを埋めるものもないまま、それは純粋な空洞として放置されていた。体は不自然に軽く、音はうつろに響いた。僕は週日には以前にも増してきちんと大学に通い、講義に出席した。講義は退屈で、クラスの連中とは話すこともなかったけれど、他にやることもなかった。僕は一人で教室の最前列の端に座って講義を聞き、誰とも話をせず、一人で食事をし、煙草を吸うのをやめた。

五月の末に大学がストに入った。彼らは「大学解体」を叫んでいた。結構、解体するならしてくれよ、と僕は思った。解体してバラバラにして、足で踏みつけて粉々にしてくれ。全然かまわない。そうすれば僕だってさっぱりするし、あとのことは自分でなんとでもする。手助けが必要なら手伝ったっていい。さっさとやってくれ。

大学が封鎖されて講義はなくなったので、僕は運送屋のアルバイトを始めた。運送トラックの助手席に座って荷物の積み下ろしをするのだ。仕事は思っていたよりきつく、最初のうちは体が痛くて朝起きあがれないほどだったが、給料はそのぶん良かったし、忙しく体を動かしているあいだは自分の中の空洞を意識せずに済んだ。僕は週に五日、運送屋で昼間働き、三日はレコード屋で夜番をやった。そして仕事のない夜は部屋でウィスキーを飲みながら本を読んだ。突撃隊は酒が一滴も飲めず、アルコールの匂いにひどく敏感で、僕がベッドに寝転んで生のウィスキーを飲んでいると、臭くて勉強できないから外で飲んでくれないかなと文句を言った。

「お前が出て行けよ」と僕は言った。

「だって、りょ、寮の中で酒飲んじゃいけないのって、き、き、規則だろう」と彼は言った。

「お前が出ていけ」と僕は繰り返した。

彼はそれ以上何も言わなかった。僕は嫌な気持になって、屋上に行って一人でウィスキーを飲んだ。

六月になって僕は直子にもう一度長い手紙を書いて、やはり神戸の住所あてに送った。内容はだいたい前のと同じだった。そして最後に、返事を待っているのはとても辛い、僕は君を傷つけてしまったのかどうかそれだけでも知りたいとつけ加えた。その手紙をポストに入れてしまうと、僕の心の中の空洞はまた少し大きくなったように感じられた。

六月に二度、僕は永沢さんと一緒に町に出て女の子と寝た。どちらもとても簡単だった。一人の女の子は僕がホテルのベッドにつれこんで服を脱がせようとすると暴れて抵抗したが、僕が面倒臭くなってベッドの中で一人で本を読んでいると、そのうちに自分の方から体をすりよせてきた。もう一人の女の子はセックスのあとで僕についてあらゆることを知りたがった。これまで何人くらいの女の子と寝たかだとか、どこの出身かだとか、どこの大学かだとか、どんな音楽が好きかだとか、太宰治の小説を読んだことがあるかだとか、外国旅行をするならどこに行ってみたいかだとか、私の乳首は他の人のに比べてちょっと大きすぎるとは思わないかだとか、とにかくもうありとあらゆる質問をした。僕は適当に答えて眠ってしまった。目が覚めると彼女は一緒に朝ごはんが食べたいと言った。僕は彼女と一緒に喫茶店に入ってモーニング・サービスのまずいトーストとまずい玉子を食べまずいコーヒーを飲んだ。そしてそのあいだ彼女は僕にずっと質問をしていた。お父さんの職業は何か、高校時代の成績は良かったか、何月生まれか、蛙を食べたことはあるか、等々。僕は頭が痛くなってきたので食事が終ると、これからそろそろアルバイトに行かなくちゃいけないからと言った。

「ねえ、もう会えないの？」と彼女は淋しそうに言った。

「またそのうちどこかで会えるよ」と僕は言ってそのまま別れた。そして一人になってから、やれやれ俺はいったい何をやっているんだろうと思ってうんざりした。こんなことをやっているべきではないんだと僕は思った。でもそうしないわけにはいかなかった。僕の体はひどく飢えて渇いていて、女と寝ることを求めていた。僕は彼女たちと寝ながらずっと直子のことを考えていた。闇の中に白く浮かびあがっていた直子の裸体や、その吐息や、雨の音のことを考えていた。そしてそんなことを考えれば考えるほど僕の体は余計に飢え、そして渇いた。僕は一人で屋上に上ってウィスキーを飲み、俺はいったい何処に行こうとしているんだろうと思った。

七月の始めに直子から手紙が届いた。短かい手紙だった。

「返事が遅くなってごめんなさい。でも理解して下さい。文章を書けるようになるまですいぶん長い時間がかかったのです。そしてこの手紙ももう十回も書きなおしています。文章を書くのは私にとってとても辛いことなのです。

結論から書きます。大学をとりあえず一年間休学することにしました。とりあえずとは言っても、もう一度大学に戻ることはおそらくないのではないかと思います。休学というのはあくまで手続上のことです。急な話だとあなたは思うかもしれないけれど、これは前々からずっと考えていたことなのです。それについてはあなたに何度か話をしようと思っていたのですが、とうとう切り出せませんでした。口に出しちゃうのがとても怖かったのです。

いろんなことを気にしないで下さい。たとえ何が起っていたとしても、たとえ何が起っていなかったとしても、結局はこうなっていたんだろうと思います。あるいはこういう言い方はあなたを傷つけることになるのかもしれません。もしそうだとしたら謝ります。私の言いたいのは私のことであなたに自分自身を責めたりしないでほしいということなのです。これは本当に私が自分できちんと全部引き受けるべきことなのです。この一年あまり私はそれをのばしのばしにしてきて、そのせいであなたにもずいぶん迷惑をかけてしまったように思います。そしてたぶんこれが限界です。

国分寺のアパートを引き払ったあと、私は神戸の家に戻って、しばらく病院に通いました。お医者様の話だと京都の山の中に私に向いた療養所があるらしいので、少しそこに入ってみようかと思います。正確な意味での病院ではなくて、ずっと自由な療養のための施設です。細かいことについてはまた別の機会に書くことにします。今はまだうまく書けないのです。今の私に必要なのは外界と遮断されたどこか静かなところで神経をやすめることなのです。

あなたが一年間私のそばにいてくれたことについては、私は私なりに感謝しています。そのことだけは信じて下さい。あなたが私を傷つけたわけではありません。私を傷つけたのは私自身です。私はそう思っています。

私は今のところまだあなたに会う準備ができていません。会いたくないというのではなく、会う準備ができていないのです。もし準備ができたと思ったら、私はあなたにすぐ手紙を書きます。そのときには私たちはもう少しお互いのことを知りあえるのではないかと思います。あなたが言うように、私たちはお互いのことをもっと知りあうべきなのでしょう。

さようなら」

僕は何百回もこの手紙を読みかえした。そして読みかえすたびにたまらなく哀しい気持になった。それはちょうど直子にじっと目をのぞきこまれているときに感じるのと同じ種類の哀しみだった。僕はそんなやるせない気持をどこに持っていくことも、どこにしまいこむこともできなかった。それは体のまわりを吹きすぎていく風のように輪郭もなく、重さもなかった。僕はそれを身にまとうことすらできなかった。風景が僕の前をゆっくりと通りすぎていった。彼らの語る言葉は僕の耳には届かなかった。

土曜の夜になると僕はあいかわらずロビーの椅子に座って時間を過した。電話のかかってくるあてはなかったが、他にやることもなかった。僕はいつもTVの野球中継をつけて、それを見ているふりをしていた。そして僕とTVのあいだに横たわる茫漠とした空間をふたつに区切り、その区切られた空間をまたふたつに区切った。そして何度も何度もそれをつづけ、最後には手のひらにのるくらいの小さな空間を作りあげた。

十時になると僕はTVを消して部屋に戻り、そして眠った。

＊

その月の終りに突撃隊が僕に螢をくれた。

螢はインスタント・コーヒーの瓶に入っていた。瓶の中には草の葉と水が少し入っていて、ふたには細かい空気穴がいくつか開いていた。あたりはまだ明るかったので、それは何の変哲もない黒い水辺の虫にしか見えなかったが、突撃隊はそれは間違いなく螢だと主張した。螢のことはよく知ってるんだ、と彼は言ったし、僕の方にはとくにそれを否定する理由も根拠もなかった。よろしい、それは螢なのだ。螢はなんだか眠たそうな顔をしていた。そしてつるつるとしたガラスの壁を上ろうとしてはそのたびに下に滑り落ちていた。

「庭にいたんだよ」

「ここの庭に？」と僕はびっくりして訊いた。

「ほら、こ、この近くのホテルで夏になると客寄せに螢を放すだろ？　あれがこっちに紛れこんできたんだよ」と彼は黒いボストン・バッグに衣類やノートを詰めこみながら言った。

夏休みに入ってからもう何週間も経っていて、寮にまだ残っているのは我々くらいのものだった。僕の方はあまり神戸に帰りたくなくてアルバイトをつづけていたし、彼の方には実習があったからだ。でもその実習も終り、彼は家に帰ろうとしていた。突撃隊の家は山梨にあった。

「これね、女の子にあげるといいよ。きっと喜ぶからさ」と彼は言った。

「ありがとう」と僕は言った。

日が暮れると寮はしんとして、まるで廃墟みたいなかんじになった。国旗がポールから降ろされ、食堂の窓に電気が灯った。学生の数が減ったせいで、食堂の灯はいつもの半分しかついていなかった。右半分は消えて、左半分だけがついていた。それでも微かに夕食の匂いが漂っていた。クリーム・シチューの匂いだった。

僕は螢の入ったインスタント・コーヒーの瓶を持って屋上に上った。屋上には人影はなかった。誰かがとりこみ忘れた白いシャツが洗濯ロープにかかっていて、何かの脱け殻のように夕暮の風に揺れていた。僕は屋上の隅にある鉄の梯子を上って給水塔の上に出た。円筒形の給水タンクは昼のあいだにたっぷりと吸いこんだ熱でまだあたたかかった。狭い空間に腰を下ろし、手すりにもたれかかると、ほんの少しだけ欠けた白い月が目の前に浮かんでいた。右手には新宿の街の光が、左手には池袋の街の光が見えた。車のヘッドライトが鮮かな光の川となって、街から街へと流れていた。様々な音が混じりあったやわらかなうなりが、まるで雲みたいにぼおっと街の上に浮かんでいた。

瓶の底で螢はかすかに光っていた。しかしその光はあまりにも弱く、その色はあまりにも淡かった。僕が最後に螢を見たのはずっと昔のことだったが、その記憶の中では螢はもっとくっきりとした鮮かな光を夏の闇の中に放っていた。僕はずっと螢というのはそういう鮮かな燃えたつような光を放つものと思いこんでいたのだ。

螢は弱って死にかけているのかもしれない。僕は瓶のくちを持って何度か軽く振ってみた。螢はガラスの壁に体を打ちつけ、ほんの少しだけ飛んだ。しかしその光はあいかわらずぼんやりしていた。

　螢を最後に見たのはいつのことだっけなと僕は考えてみた。そしていったい何処だったのだろう、あれは？　僕はその光景を思いだすことはできた。しかし場所と時間を思いだすことはできなかった。夜の暗い水音が聞こえた。煉瓦づくりの旧式の水門もあった。ハンドルをぐるぐると回して開け閉めする水門だ。大きな川ではない。岸辺の水草が川面をあらかた覆い隠しているような小さな流れだ。あたりは真暗で、懐中電灯を消すと自分の足もとさえ見えないくらいだった。そして水門のたまりの上を何百匹という数の螢が飛んでいた。その光はまるで燃えさかる火の粉のように水面に照り映えていた。

　僕は目を閉じてその記憶の闇の中にしばらく身を沈めた。風の音がいつもよりくっきりと聞こえた。たいして強い風でもないのに、それは不思議なくらい鮮かな軌跡を残して僕の体のまわりを吹き抜けていった。目を開けると、夏の夜の闇はほんの少し深まっていた。

　僕は瓶のふたを開けて螢をとりだし、三センチばかりつきだした給水塔の縁の上に置いた。螢は自分の置かれた状況がうまくつかめないようだった。螢はボルトのまわりをよろめきながら一周したり、かさぶたのようにめくれあがったペンキに足をかけたりしていた。しばらく右に進んでそこが行きどまりであることをたしかめてから、また左に戻った。それから時間をかけてボルトの頭によじのぼり、そこにじっとうずくまった。螢はまるで息絶えてしまったみたいに、そのままぴくりとも動かなかった。

僕は手すりにもたれかかったまま、そんな螢の姿を眺めていた。僕の方も螢の方も長いあいだ身動きひとつせずにそこにいた。風だけが我々のまわりを吹きすぎて行った。闇の中でけやきの木がその無数の葉をこすりあわせていた。

僕はいつまでも待ちつづけた。

螢が飛びたったのはずっとあとのことだった。螢は何かを思いついたようにふと羽を拡げ、その次の瞬間には手すりを越えて淡い闇の中に浮かんでいた。それはまるで失われた時間をとり戻そうとするかのように、給水塔のわきで素速く弧を描いた。そしてその光の線が風ににじむのを見届けるべく少しのあいだそこに留まってから、やがて東に向けて飛び去っていった。

螢が消えてしまったあとでも、その光の軌跡は僕の中に長く留まっていた。目を閉じたぶ厚い闇の中を、そのささやかな淡い光は、まるで行き場を失った魂のように、いつまでもいつまでもさまよいつづけていた。

僕はそんな闇の中に何度も手をのばしてみた。指は何にも触れなかった。その小さな光はいつも僕の指のほんの少し先にあった。

第四章

夏休みのあいだに大学が機動隊の出動を要請し、機動隊はバリケードを叩きつぶし、中に籠っていた学生を全員逮捕した。その当時はどこの大学でも同じようなことをやっていたし、とくに珍しい出来事ではなかった。大学は解体なんてしなかった。大学には大量の資本が投下されているし、そんなものが学生が暴れたくらいで「はい、そうですか」とおとなしく解体されるわけがないのだ。そして大学をバリケード封鎖した連中も本当に大学を解体したいなんて思っていたわけではなかった。彼らは大学という機構のイニシアチブの変更を求めていただけだったし、僕にとってはイニシアチブがどうなるかなんてまったくどうでもいいことだった。だからストが叩きつぶされたところで、とくに何の感慨も持たなかった。

僕は九月になって大学が殆んど廃墟と化していることを期待して行ってみたのだが、大学はまったくの無傷だった。図書館の本も掠奪されることなく、教授室も破壊しつくされることはなく、学生課の建物も焼け落ちてはいなかった。あいつら一体何してたんだと僕は愕然として思った。

ストが解除され機動隊の占領下で講義が再開されると、いちばん最初に出席してきたのはストを指導した立場にある連中だった。彼らは何事もなかったように教室に出てきてノートをとり、名前を呼ばれると返事をした。これはどうも変な話だった。何故ならスト決議はまだ有効だったし、誰もスト終結を宣言していなかったからだ。大学が機動隊を導入してバリケードを破壊しただけのことで、原理的にはストはまだ継続しているのだ。そして彼らはスト決議のときには言いたいだけ元気なことを言って、ストに反対する（あるいは疑念を表明する）学生を罵倒し、あるいは吊しあげたのだ。僕は彼らのところに行って、どうしてストをつづけないで講義に出てくるのか、と訊いてみた。彼らには答えられなかった。答えられるわけがないのだ。彼らは出席不足で単位を落とすのが怖いのだ。そんな連中が大学解体を叫んでいたのかと思うとおかしくて仕方なかった。そんな下劣な連中が風向きひとつで大声を出したり小さくなったりするのだ。

おいキズキ、ここはひどい世界だよ、と僕は思った。こういう奴らがきちんと大学の単位をとって社会に出て、せっせと下劣な社会を作るんだ。

僕はしばらくのあいだ講義には出ても出席をとるときには返事をしないことにした。そんなことをしたって何の意味もないことはよくわかっていたけれど、そうでもしないことには気分がわるくて仕方がなかったのだ。しかしそのおかげでクラスの中での僕の立場はもっと孤立したものになった。名前を呼ばれても僕が黙っていると、教室の中に居心地のわるい空気が流れた。誰も僕に話しかけなかったし、僕も誰にも話しかけなかった。

九月の第二週に、僕は大学教育というのはまったく無意味だという結論に到達した。そして僕はそれを退屈さに耐える訓練期間として捉えることに決めた。今ここで大学をやめたところで社会に出て何かとくにやりたいことがあるわけではないのだ。僕は毎日大学に行って講義に出てノートをとり、あいた時間には図書館で本を読んだり調べものをしたりした。

＊

九月の第二週になっても突撃隊は戻ってこなかった。これは珍しいというよりは驚天動地の出来事だった。彼の大学はもう授業が始まっていたし、突撃隊が授業をすっぽかすなんてことはありえなかったからだ。彼の机やラジオの上にはうっすらとほこりがつもっていた。棚の上にはプラスチックのコップと歯ブラシ、お茶の缶、殺虫スプレー、そんなものがきちんと整頓されて並んでいた。

突撃隊がいないあいだは僕が部屋の掃除をした。この一年半のあいだに、部屋を清潔にすることは僕の習性の一部となっていたし、突撃隊がいなければ僕がその清潔さを維持するしかなかった。僕は毎日床を掃き、三日に一度窓を拭き、週に一回布団を干した。そして突撃隊が帰ってきて「ワ、ワタナベ君、どうしたの？すごくきれいじゃないか」と言って賞めてくれるのを待った。

しかし彼は戻ってはこなかった。ある日僕が学校から戻ってみると、彼の荷物は全部なくなっていた。部屋のドアの名札も外されて、僕のものだけになっていた。僕は寮長室に行って彼がいったいどうなったのか訊いてみた。

「退寮した」と寮長は言った。「しばらくあの部屋はお前一人で暮せ」

僕はいったいどういう事情なのかと質問してみたが、寮長は何も教えてくれなかった。他人には何も教えずに自分一人で物事を管理することに無上の喜びを感じるタイプの俗物なのだ。

部屋の壁には氷山の写真がまだしばらく貼ってあったが、やがて僕はそれをはがして、かわりにジム・モリソンとマイルス・デイヴィスの写真を貼った。それで部屋は少し僕らしくなった。僕はアルバイトで貯めた金を使って小さなステレオ・プレーヤーを買った。そして夜になると一人で酒を飲みながら音楽を聴いた。ときどき突撃隊のことを思いだしたが、それでも一人暮しというのはいいものだった。

＊

月曜日の十時から「演劇史II」のエウリピデスについての講義があり、それは十一時半に終った。講義のあとで僕は大学から歩いて十分ばかりのところにある小さなレストランに行ってオムレツとサラダを食べた。そのレストランはにぎやかな通りからは離れていたし、値段も学生向きの食堂よりは少し高かったが、静かで落ちつけたし、なかなか美味いオムレツを食べさせてくれた。無口な夫婦とアルバイトの女の子が三人で働いていた。僕が窓際の席に一人で座って食事をしていると、四人づれの学生が店に入ってきた。男が二人と女が二人で、みんなこざっぱりとした服装をしていた。彼らは入口近くのテーブルに座ってメニューを眺め、しばらくいろいろと検討していたが、やがて一人が注文をまとめ、アルバイトの女の子にそれを伝えた。

そのうちに僕は女の子の一人が僕の方をちらちらと見ているのに気がついた。ひどく髪の短かい女の子で、濃いサングラスをかけ、白いコットンのミニのワンピースを着ていた。彼女の顔には見覚えがなかったので僕がそのまま食事をつづけていると、そのうちに彼女はすっと立ち上がって僕の方にやってきた。そしてテーブルの端に片手をついて僕の名前を呼んだ。

「ワタナベ君、でしょ？」

僕は顔を上げてもう一度相手の顔をよく見た。しかし何度見ても見覚えはなかった。彼女はとても目立つ女の子だったし、どこかで会っていたらすぐに思いだせるはずだった。それに僕の名前を知っている人間がそれほど沢山この大学にいるわけではない。

「ちょっと座ってもいいかしら？　それとも誰かくるの、ここ？」

僕はよくわからないままに首を振った。「誰も来ないよ。どうぞ」

彼女はゴトゴトと音を立てて椅子を引き、僕の向いに座ってサングラスの奥から僕をじっと眺め、それから僕の皿に視線を移した。

「おいしそうね、それ」

「美味いよ。マッシュルーム・オムレツとグリーン・ピースのサラダ」

「ふむ」と彼女は言った。「今度はそれにするわ。今日はもう別のを頼んじゃったから」

「何を頼んだの？」

「マカロニ・グラタン」

「マカロニ・グラタンもわるくない」と僕は言った。「ところで君とどこで会ったんだっけな？　どうしても思いだせないんだけど」

「エウリピデス」と彼女は簡潔に言った。「エレクトラ。『いいえ、神様だって不幸なものの言うことには耳を貸そうとはなさらないのです』。さっき授業が終ったばかりでしょ？」

僕はまじまじと彼女の顔を見た。彼女はサングラスを外した。それでやっと僕は思いだした。「演劇史II」のクラスで見かけたことのある一年生の女の子だった。ただあまりにもがらりとヘア・スタイルが変ってしまったので、誰なのかわからなかったのだ。

「だって君、夏休み前まではここまで髪あったろう？」と僕は肩から十センチくらい下のところを手で示した。

「そう。夏にパーマをかけたのよ。ところがぞっとするようなひどい代物でね、これが。一度は真剣に死のうと思ったくらいよ。本当にひどかったのよ。ワカメが頭にからみついた水死体みたいに見えるの。でも死ぬくらいならと思ってやけっぱちで坊主頭にしちゃったの。涼しいことは涼しいわよ、これ」と彼女は言って、長さ四センチか五センチの髪を手のひらでさらさらと撫でた。そして僕に向ってにっこりと微笑んだ。

「でも全然悪くないよ、それ」と僕はオムレツのつづきを食べながら言った。「ちょっと横を向いてみてくれないかな」

　彼女は横を向いて、五秒くらいそのままじっとしていた。

「うん、とても良く似合ってると思うな。きっと頭のかたちが良いんだね。耳もきれいに見えるし」と僕は言った。

「そうなのよ。私もそう思うのよ。坊主にしてみてね、うん、これもわるくないじゃないかって思ったわけ。でも男の人って誰もそんなこと言ってくれやしない。小学生みたいだとか、強制収容所だとか、そんなことばかり言うのよ。ねえ、どうして男の人って髪の長い女の子がそんなに好きなの？　そんなのまるでファシストじゃない。下らないわよ。どうして男の人って髪の長い女の子が上品で心やさしくて女らしいと思うのかしら？　私なんかね、髪の長い下品な女の子二百五十人くらい知ってるわよ、本当よ」

「僕は今の方が好きだよ」と僕は言った。そしてそれは嘘ではなかった。髪の長かったときの彼女は、僕の覚えている限りではまあごく普通の可愛い女の子だった。でも今僕の前に座っている彼女はまるで春を迎えて世界にとびだしたばかりの小動物のように瑞々しい生命感を体中からほとばしらせていた。その瞳はまるで独立した生命体のように楽し気に動きまわり、笑ったり怒ったりあきれたりあきらめたりしていた。僕はこんな生き生きとした表情を目にしたのは久しぶりだったので、しばらく感心して彼女の顔を眺めていた。

「本当にそう思う？」

僕はサラダを食べながら肯いた。

彼女はもう一度濃いサングラスをかけ、その奥から僕の顔を見た。

「ねえ、あなた嘘つく人じゃないわよね？」

「まあできることなら正直な人間でありたいとは思っているけどね」と僕は言った。

「ふうん」と彼女は言った。

「どうしてそんな濃いサングラスかけてるの？」と僕は訊いてみた。

「急に毛が短かくなるとものすごく無防備な気がするのよ。まるで裸で人ごみの中に放り出されちゃったみたいでね、全然落ちつかないの。だからサングラスかけるわけ」

「なるほど」と僕は言った。そしてオムレツの残りを食べた。彼女は僕がそれを食べてしまうのを興味深そうな目でじっと見ていた。

「あっちの席に戻らなくていいの？」と僕は彼女の連れの三人の方を指さして言った。

「いいのよ、べつに。料理が来たら戻るから。なんてことないのよ。でもここにいると食事の邪魔かしら？」

「邪魔も何も、もう食べ終っちゃったよ」と僕は言った。そして彼女が自分のテーブルに戻る気配がないので食後のコーヒーを注文した。奥さんが皿を下げて、そのかわりに砂糖とクリームを置いていった。

「ねえ、どうして今日授業で出席取ったとき返事しなかったの？　ワタナベってあなたの名前でしょ？　ワタナベ・トオルって」

「そうだよ」

「じゃどうして返事しなかったの？」

「今日はあまり返事したくなかったんだ」

彼女はもう一度サングラスを外してテーブルの上に置き、まるで珍しい動物の入っている檻でものぞきこむような目つきで僕をじっと眺めた。「『今日はあまり返事したくなかったんだ』」と彼女はくりかえした。「ねえ、あなたってなんだかハンフリー・ボガートみたいなしゃべり方するのね。クールでタフで」

「まさか。僕はごく普通の人間だよ。そのへんのどこにでもいる」

奥さんがコーヒーを持ってきて僕の前に置いた。僕は砂糖もクリームも入れずにそれをそっとすすった。

「ほらね、やっぱり砂糖もクリームも入れないでしょ」

「ただ単に甘いものが好きじゃないだけだよ」と僕は我慢強く説明した。「君は何か誤解しているんじゃないかな」

「どうしてそんなに日焼けしてるの？」

「三週間くらいずっと歩いて旅行してたんだよ。あちこち。リュックと寝袋をかついで。だから日焼けしたんだ」

「どんなところ？」

「金沢から能登半島をぐるっとまわってね、新潟まで行った」

「一人で？」

「そうだよ」と僕は言った。「ところどころで道づれができるってことはあるけれどね」

「ロマンスは生まれたりするのかしら？　旅先でふと女の子と知りあったりして」

「ロマンス？」と僕はびっくりして言った。「あのね、やはり君は何か思いちがいをしていると思うね。寝袋かついで髭ぼうぼうで歩きまわっている人間がいったいどこでどうやってロマンスなんてものにめぐりあえるんだよ？」

「いつもそんな風に一人で旅行するの？」

「そうだね」

「孤独が好きなの？」と彼女は頬杖をついて言った。「一人で旅行して、一人でごはん食べて、授業のときはひとりだけぽつんと離れて座っているのが好きなの？」

「孤独が好きな人間なんていないさ。無理に友だちを作らないだけだよ。そんなことしたってがっかりするだけだもの」と僕は言った。

彼女はサングラスのつるを口にくわえ、もそもそした声で「『孤独が好きな人間なんていない。失望するのが嫌なだけだ』」と言った。「もしあなたが自叙伝書くことになったらその時はその科白使えるわよ」

「ありがとう」と僕は言った。

「緑色は好き？」

「どうして？」

「緑色のポロシャツをあなたが着てるからよ。だから緑色は好きなのかって訊いているの」

「とくに好きなわけじゃない。なんだっていいんだよ」

「『とくに好きなわけじゃない。なんだっていいんだよ』」と彼女はまたくりかえした。「私、あなたのしゃべり方すごく好きよ。きれいに壁土を塗ってるみたいで。これまでにそう言われたことある、他の人から？」

ない、と僕は答えた。

「私ね、ミドリっていう名前なの。それなのに全然緑色が似合わないの。変でしょ。そんなのひどいと思わない？　まるで呪われた人生じゃない、これじゃ。ねえ、私のお姉さん桃子っていうのよ。おかしくない？」

「それでお姉さんはピンク似合う？」

「それがものすごくよく似合うの。ピンクを着るために生まれてきたような人ね。ふん、まったく不公平なんだから」

彼女のテーブルに料理が運ばれ、マドラス・チェックの上着を着た男が「おーい、ミドリ、飯だぞお」と呼んだ。彼女はそちらに向って〈わかった〉というように手をあげた。

「ねえ、ワタナベ君、あなた講義のノートとってる？　演劇史IIの？」

「とってるよ」と僕は言った。

「悪いんだけど貸してもらえないかしら？　私二回休んじゃってるのよ。あのクラスに私、知ってる人いないし」

「もちろん、いいよ」僕は鞄からノートを出して何か余計なものが書かれていないことをたしかめてから緑に渡した。

「ありがとう。ねえ、ワタナベ君、あさって学校に来る？」

「来るよ」

「じゃあ十二時にここに来ない？　ノート返してお昼ごちそうするから。べつにひとりでごはん食べないと消化不良おこすとか、そういうんじゃないでしょう？」

「まさか」と僕は言った。「でもお礼なんていらないよ。ノート見せるくらいで」

「いいのよ。私、お礼するの好きなの。ねえ、大丈夫？　手帳に書いとかなくて忘れない？」

「忘れないよ。あさっての十二時に君とここで会う」

向うの方から「おーい、ミドリ、早く来ないと冷めちゃうぞ」という声が聞こえた。

「ねえ、昔からそういうしゃべり方してたの？」と緑はその声を無視して言った。

「そうだと思うよ。あまり意識したことないけど」と僕は答えた。しゃべり方が変っているなんて言われたのは本当にそれがはじめてだったのだ。

彼女は少し何か考えていたが、やがてにっこりと笑って席を立ち、自分のテーブルに戻っていった。僕がそのテーブルのそばを通りすぎたとき緑は僕に向って手を上げた。他の三人はちらっと僕の顔を見ただけだった。


水曜日の十二時になっても緑はそのレストランに姿を見せなかった。僕は彼女が来るまでビールを飲んで待っているつもりだったのだが店が混みはじめたので仕方なく料理を注文し、一人で食べた。食べ終ったのは十二時三十五分だったが、それでもまだ緑は姿を見せなかった。勘定を払い、外に出て店の向い側にある小さな神社の石段に座ってビールの酔いをさましながら一時まで彼女を待ったが、それでも駄目だった。僕はあきらめて大学に戻り、図書館で本を読んだ。そして二時からのドイツ語の授業に出た。

講義が終ると、僕は学生課に行って講義の登録簿を調べ、「演劇史II」のクラスに彼女の名前をみつけた。ミドリという名前の学生は小林緑ひとりしかいなかった。次にカード式になっている学生名簿をくって六九年度入学生の中から「小林緑」を探しだし、住所と電話番号をメモした。住所は豊島区で、家は自宅だった。僕は電話ボックスに入ってその番号をまわした。

「もしもし、小林書店です」と男の声が言った。小林書店？

「申しわけありませんが、緑さんはいらっしゃいますか？」と僕は訊いた。

「いや、緑は今いませんねえ」と相手は言った。

「大学に行かれたんでしょうか？」

「うん、えーと、病院の方じゃないかなあ。おたくの名前は？」

僕は名前は言わず、礼だけ言って電話を切った。病院？　彼女は怪我をするかあるいは病気にかかるかして病院に行ったのだろうか？　しかし男の声からはそういう種類の非日常的な緊迫感はまったく感じとれなかった。〈うん、えーと、病院の方じゃないかな〉、それはまるで病院が生活の一部であるといわんばかりの口ぶりであった。魚屋に魚を買いに行ったよとか、その程度の軽い言い方だった。僕はそれについて少し考えをめぐらせてみたが、面倒臭くなったので考えるのをやめて寮に戻り、ベッドに寝転んで永沢さんに借りていたジョセフ・コンラッドの「ロード・ジム」の残りを読んでしまった。そして彼のところにそれを返しに行った。

永沢さんは食事に行くところだったので、僕も一緒に食堂に行って夕食を食べた。外務省の試験はどうだったんですか？　と僕は訊いてみた。外務省の上級試験の第二次が八月にあったのだ。

「普通だよ」と永沢さんは何でもなさそうに答えた。「あんなの普通にやってりゃ通るんだよ。集団討論だとか面接だとかね。女の子口説くのと変りゃしない」

「じゃあまあ簡単だったわけですね」と僕は言った。「発表はいつなんですか？」

「十月のはじめ。もし受かってたら、美味いもの食わしてやるよ」

「ねえ、外務省の上級試験の二次ってどんなですか？　永沢さんみたいな人ばかりが受けにくるんですか？」

「まさか。大体はアホだよ。アホじゃなきゃ変質者だ。官僚になろうなんて人間の九五パーセントまでは屑だもんなあ。これ嘘じゃないぜ。あいつら字だってロクに読めないんだ」

「じゃあどうして永沢さんは外務省に入るんですか？」

「いろいろと理由はあるさ」と永沢さんは言った。「外地勤務が好きだとか、いろいろな。でもいちばんの理由は自分の能力をためしてみたいってことだよな。どうせためすんならいちばんでかい入れものの中でためしてみたいのさ。つまりは国家だよ。このばかでかい官僚機構の中でどこまで自分が上にのぼれるか、どこまで自分が力を持てるかそういうのを試してみたいんだよ。わかるか？」

「なんだかゲームみたいに聞こえますね」

「そうだよ。ゲームみたいなもんさ。俺には権力欲とか金銭欲とかいうものは殆んどない。本当だよ。俺は下らん身勝手な男かもしれないけど、そういうものはびっくりするくらいないんだ。いわば無私無欲の人間だよ。ただ好奇心があるだけなんだ。そして広いタフな世界で自分の力を試してみたいんだ」

「そして理想というようなものも持ちあわせてないんでしょうね？」

「もちろんない」と彼は言った。「人生にはそんなもの必要ないんだ。必要なものは理想ではなく行動規範だ」

「でも、そうじゃない人生もいっぱいあるんじゃないですかね？」と僕は訊いた。「俺のような人生は好きじゃないか？」

「よして下さいよ」と僕は言った。「好きも嫌いもありませんよ。だってそうでしょう、僕は東大に入れるわけでもないし、好きな時に好きな女と寝られるわけでもないし、弁が立つわけでもない。他人から一目おかれているわけでもなきゃ、恋人がいるでもない。二流の私立大学の文学部を出たって将来の展望があるわけでもない。僕に何が言えるんですか？」

「じゃあ俺の人生がうらやましいか？」

「うらやましかないですね」と僕は言った。「僕はあまりに僕自身に馴れすぎてますからね。それに正直なところ、東大にも外務省にも興味がない。ただひとつうらやましいのはハツミさんみたいに素敵な恋人を持ってることですね」

彼はしばらく黙って食事をしていた。

「なあ、ワタナベ」と食事が終ってから永沢さんは僕に言った。「俺とお前はここを出て十年だか二十年だか経ってからまたどこかで出会いそうな気がするんだ。そして何かのかたちでかかわりあいそうな気がするんだ」

「まるでディッケンズの小説みたいな話ですね」と言って僕は笑った。

「そうだな」と彼も笑った。「でも俺の予感ってよく当るんだぜ」

食事のあとで僕と永沢さんは二人で近くのスナック・バーに酒を飲みに行った。そして九時すぎまでそこで飲んでいた。

「ねえ、永沢さん。ところであなたの人生の行動規範っていったいどんなものなんですか？」と僕は訊いてみた。

「お前、きっと笑うよ」と彼は言った。

「笑いませんよ」と僕は言った。

「紳士であることだ」

僕は笑いはしなかったけれどあやうく椅子から転げ落ちそうになった。「紳士ってあの紳士ですか？」

「そうだよ、あの紳士だよ」と彼は言った。

「紳士であることって、どういうことなんですか？　もし定義があるなら教えてもらえませんか」

「自分がやりたいことをやるのではなく、やるべきことをやるのが紳士だ」

「あなたは僕がこれまで会った人の中でいちばん変った人ですね」と僕は言った。

「お前は俺がこれまで会った人間の中でいちばんまともな人間だよ」と彼は言った。そして勘定を全部払ってくれた。

*

翌週の月曜日の「演劇史II」の教室にも小林緑の姿は見あたらなかった。僕は教室の中をざっと見まわして彼女がいないことをたしかめてからいつもの最前列の席に座り、教師が来るまで直子への手紙を書くことにした。僕は夏休みの旅行のことを書いた。歩いた道筋や、通り過ぎた町々や、出会った人々について書いた。そして夜になるといつも君のことを考えていた、と。君と会えなくなって、僕は自分がどれくらい君を求めていたかということがわかるようになった。大学は退屈きわまりないが、自己訓練のつもりできちんと出席して勉強している。君がいなくなってから、何をしてもつまらなく感じるようになってしまった。一度君に会ってゆっくりと話がしたい。もしできることならその君の入っている療養所をたずねて、何時間かでも面会したいのだがそれは可能だろうか？　そしてもしできることならまた前のように二人で並んで歩いてみたい。迷惑かもしれないけれど、どんな短かい手紙でもいいから返事がほしい。

それだけ書いてしまうと僕はその四枚の便箋をきれいに畳んで用意した封筒に入れ、直子の実家の住所を書いた。

やがて憂鬱そうな顔をした小柄な教師が入ってきて出欠をとり、ハンカチで額の汗を拭いた。彼は脚が悪くいつも金属の杖をついていた。「演劇史II」は楽しいとは言えないまでも、一応聴く価値のあるきちんとした講義だった。あいかわらず暑いですねえと言ってから、彼はエウリピデスの戯曲におけるデウス・エクス・マキナの役割について話しはじめた。エウリピデスにおける神が、アイスキュロスやソフォクレスのそれとどう違うかについて彼は語った。十五分ほど経ったところで教室のドアが開いて緑が入ってきた。彼女は濃いブルーのスポーツ・シャツにクリーム色の綿のズボンをはいて前と同じサングラスをかけていた。彼女は教師に向って「遅れてごめんなさい」的な微笑を浮かべてから僕のとなりに座った。そしてショルダー・バッグからノートを出して、僕に渡した。ノートの中には「水曜日、ごめんなさい。怒ってる?」と書いたメモが入っていた。

講義が半分ほど進み、教師が黒板にギリシャ劇の舞台装置の絵を描いているところに、またドアが開いてヘルメットをかぶった学生が二人入ってきた。まるで漫才のコンビみたいな二人組だった。一人はひょろりとして色白で背が高く、もう一人は背が低く丸顔で色が黒く、似合わない髭をのばしていた。背が高い方がアジ・ビラを抱えていた。背の低い方が教師のところに行って、授業の後半を討論にあてたいので了承していただきたい。ギリシャ悲劇よりもっと深刻な問題が現在の世界を覆っているのだと言った。それは要求ではなく、単なる通告だった。ギリシャ悲劇より深刻な問題が現在の世界に存在するとは私には思えないが、何を言っても無駄だろうから好きにしなさい、と教師は言った。そして机のふちをぎゅっとつかんで足を下におろし、杖をとって足をひきずりながら教室を出ていった。

背の高い学生がビラを配っているあいだ、丸顔の学生が壇上に立って演説をした。ビラにはあのあらゆる事象を単純化する独特の簡潔な書体で「欺瞞的総長選挙を粉砕し」「あらたなる全学ストへと全力を結集し」「日帝＝産学協同路線に鉄槌を加える」と書いてあった。説は立派だったし、内容にとくに異論はなかったが、文章に説得力がなかった。信頼性もなければ、人の心を駆りたてる力もなかった。丸顔の演説も似たりよったりだった。いつもの古い唄だった。メロディーが同じで、歌詞のてにをはが違うだけだった。この連中の真の敵は国家権力ではなく想像力の欠如だろうと僕は思った。

「出ましょうよ」と緑は言った。

僕は肯いて立ちあがり、二人で教室を出た。出るときに丸顔の方が僕に何か言ったが、何を言ってるのかよくわからなかった。緑は「じゃあね」と言って彼にひらひらと手を振った。

「ねえ、私たち反革命なのかしら？」と教室を出てから緑が僕に言った。「革命が成就したら、私たち電柱に並んで吊されるのかしら？」

「吊される前にできたら昼飯を食べておきたいな」と僕は言った。

「そうだ、少し遠くだけれどあなたをつれていきたい店があるの。ちょっと時間がかかってもかまわないかしら？」

「いいよ。二時からの授業まではどうせ暇だから」

緑は僕をつれてバスに乗り、四ツ谷まで行った。彼女のつれていってくれた店は四ツ谷の裏手の少し奥まったところにある弁当屋だった。我々がテーブルに座ると、何も言わないうちに朱塗りの四角い容器に入った日変りの弁当と吸物の椀が運ばれてきた。たしかにわざわざバスに乗って食べにくる値打のある店だった。

「美味いね」

「うん。それに結構安いのよ。だから高校のときからときどきここにお昼食べに来てたのよ。ねえ、私の学校このすぐ近くにあったのよ。ものすごく厳しい学校でね、私たちこっそり隠れて食べに来たもんよ。なにしろ外食してるところをみつかっただけで停学になる学校なんだもの」

サングラスを外すと、緑はこの前見たときよりいくぶん眠そうな目をしていた。彼女は左の手首にはめた細い銀のブレスレットをいじったり、小指の先で目のきわをぽりぽりと掻いたりしていた。

「眠いの？」と僕は言った。

「ちょっとね。寝不足なのよ。何やかやと忙しくて。でも大丈夫、気にしないで」と彼女は言った。「この前ごめんなさいね。どうしても抜けられない大事な用事ができちゃったの。それも朝になって急にだから、どうしようもなかったのよ。あのレストランに電話しようかと思ったんだけど店の名前も覚えてないし、あなたの家の電話だって知らないし。ずいぶん待った？」

「べつにかまわないよ。僕は時間のあり余ってる人間だから」

「そんなに余ってるの？」

「僕の時間を少しあげて、その中で君を眠らせてあげたいくらいのものだよ」

緑は頬杖をついてにっこり笑い、僕の顔を見た。「あなたって親切なのね」

「親切なんじゃなくて、ただ単に暇なのさ」と僕は言った。「ところであの日君の家に電話したら、家の人が君は病院に行ったって言ってたけど、何かあったの？」

「家に？」と彼女はちょっと眉のあいだにしわを寄せて言った。「どうして家の電話番号がわかったの？」

「学生課で調べたんだよ、もちろん。誰でも調べられる」

なるほど、という風に彼女は二、三度肯き、またブレスレットをいじった。「そうね、そういうの思いつかなかったわ。あなたの電話番号もそうすれば調べられたのにね。でも、その病院のことだけど、また今度話すわね。今あまり話したくないの。ごめんなさい」

「かまわないよ。なんだか余計なこと訊いちゃったみたいだな」

「ううん、そんなことないのよ。私が今すこし疲れてるだけ。雨にうたれた猿のように疲れているの」

「家に帰って寝た方がいいんじゃないかな」と僕は言ってみた。

「まだ寝たくないわ。少し歩きましょうよ」と緑は言った。


彼女は四ツ谷の駅からしばらく歩いたところにある彼女の高校の前に僕をつれていった。

四ツ谷の駅の前を通りすぎるとき僕はふと直子と、その果てしない歩行のことを思いだした。そういえばすべてはこの場所から始まったのだ。もしあの五月の日曜日に中央線の電車の中でたまたま直子に会わなかったら僕の人生も今とはずいぶん違ったものになっていただろうな、と僕はふと思った。そしてそのすぐあとで、いやもしあのとき出会わなかったとしても結局は同じようなことになっていたかもしれないと思いなおした。たぶん我々はあのとき会うべくして会ったのだし、もしあのとき会っていなかったとしても、我々はべつのどこかで会っていただろう。とくに根拠があるわけではないのだが、僕はそんな気がした。

僕と小林緑は二人で公園のベンチに座って彼女の通っていた高校の建物を眺めた。校舎にはつたが絡まり、はりだしには何羽か鳩がとまって羽をやすめていた。趣きのある古い建物だった。庭には大きな樫の木がはえていて、そのわきから白い煙がすうっとまっすぐに立ちのぼっていた。夏の名残りの光が煙を余計にぼんやりと曇らせていた。

「ワタナベ君、あの煙なんだかわかる？」突然緑が言った。

わからない、と僕は言った。

「あれ生理ナプキン焼いてるのよ」

「へえ」と僕は言った。それ以外に何と言えばいいのかよくわからなかった。

「生理ナプキン、タンポン、その手のもの」と言って緑はにっこりした。「みんなトイレの汚物入れにそういうの捨てるでしょ、女子校だから。それを用務員のおじいさんが集めてまわって焼却炉で焼くの。それがあの煙なの」

「そう思って見るとどことなく凄味があるね」と僕は言った。

「うん、私も教室の窓からあの煙を見るたびにそう思ったわよ。凄いなあって。うちの学校は中学・高校あわせると千人近く女の子がいるでしょ。まあまだ始まってない子もいるから九百人として、そのうちの五分の一が生理中として、だいたい百八十人よね。で、一日に百八十人ぶんの生理ナプキンが汚物入れに捨てられるわけよね」

「まあそうだろうね。細かい計算はよくわからないけど」

「かなりの量だわよね。百八十人ぶんだもの。そういうの集めてまわって焼くのってどういう気分のものなのかしら？」

「さあ、見当もつかないよ」と僕は言った。どうしてそんなことが僕にわかるというのだ？　そして我々はしばらく二人でその白い煙を眺めた。

「本当は私あの学校に行きたくなかったの」と緑は言って小さく首を振った。「私はごく普通の公立の学校に入りたかったの。ごく普通の人が行くごく普通の学校に。そして楽しくのんびりと青春を過したかったの。でも親の見栄であそこに入れられちゃったのよ。ほら小学校のとき成績が良いとそういうことあるでしょ？　先生がこの子の成績ならあそこ入れますよ、ってね。で、入れられちゃったわけ。六年通ったけどどうしても好きになれなかったわ。一日も早くここを出ていきたい、一日も早くここを出ていきたいって、そればかり考えて学校に通ってたの。ねえ、私って無遅刻・無欠席で表彰までされたのよ。そんなに学校が嫌いだったのに。どうしてだかわかる？」

「わからない」と僕は言った。

「学校が死ぬほど嫌いだったからよ。だから一度も休まなかったの。負けるものかって思ったの。一度負けたらおしまいだって思ったの。一度負けたらそのままずるずる行っちゃうんじゃないかって怖かったのよ。三十九度の熱があるときだって這って学校に行ったわよ。先生がおい小林具合わるいんじゃないかって言っても、いいえ大丈夫ですって嘘ついてがんばったのよ。それで無遅刻・無欠席の表彰状とフランス語の辞書をもらったの。だからこそ私、大学でドイツ語をとったのよ。だってあの学校に恩なんか着せられちゃたまらないもの。そんなの冗談じゃないわよ」

「学校のどこが嫌いだったの？」

「あなた学校好きだった？」

「好きでもとくに嫌いでもないよ。僕はごく普通の公立高校に通ったけどとくに気にはしなかったな」

「あの学校ね」と緑は小指で目のわきを掻きながら言った。「エリートの女の子のあつまる学校なのよ。育ちも良きゃ成績も良いって女の子が千人近くあつめられてるの。ま、金持の娘ばかりね。でなきゃやっていけないもの。授業料高いし、寄附もしょっちゅうあるし、修学旅行っていや京都の高級旅館を借りきって塗りのお膳で懐石料理食べるし、年に一回ホテル・オークラの食堂でテーブル・マナーの講習があるし、とにかく普通じゃないのよ。ねえ、知ってる？　私の学年百六十人の中で豊島区に住んでる生徒って私だけだったのよ。私一度学生名簿を全部調べてみたの。みんないったいどんなところに住んでるんだろうって。すごかったわねえ、千代田区三番町、港区元麻布、大田区田園調布、世田谷区成城……もうずうっとそんなのばかりよ。一人だけ千葉県柏っていう女の子がいてね、私その子とちょっと仲良くなってみたの。良い子だったわよ。家にあそびにいらっしゃいよ、遠くてわるいけどって言うからいいわよって行ってみたの。仰天しちゃったわね。なにしろ敷地を一周するのに十五分かかるの。すごい庭があって、小型車くらいの大きさの犬が二匹いて牛肉のかたまりをむしゃむしゃ食べてるわけ。それでもその子、自分が千葉に住んでることでひけめ感じてたのよ、クラスの中で。遅刻しそうになったらメルセデス・ベンツで学校の近くまで送ってもらうような子がよ。車は運転手つきで、その運転手たるや『グリーン・ホーネット』に出てくる運転手みたいに帽子かぶって白い手袋はめてるのよ。なのにその子、自分のことを恥かしがってるのよ。信じられないわ。信じられる？」

僕は首を振った。

「豊島区北大塚なんて学校中探したって私くらいしかいやしないわよ。おまけに親の職業欄にはこうあるの、〈書店経営〉ってね。おかげでクラスのみんなは私のことすごく珍しがってくれたわ。好きな本が好きなだけ読めていいわねえって。冗談じゃないわよ。みんなが考えてるのは紀伊國屋みたいな大型書店なのよ。あの人たち本屋っていうとああいうのしか想像できないのね。でもね、実物たるや惨めなものよ。小林書店。気の毒な小林書店。がらがら戸をあけると目の前にずらりと雑誌が並んでいるの。いちばん堅実に売れるのが婦人雑誌、新しい性の技巧・図解入り四十八手のとじこみ附録のついてるやつよ。近所の奥さんがそういうの買ってって、台所のテーブルに座って熟読して、御主人が帰ってきたらちょっとためしてみるのね。あれけっこうすごいのよね。まったく世間の奥さんって何を考えて生きているのかしら。それから漫画。これも売れるわよね。マガジン、サンデー、ジャンプ。そしてもちろん週刊誌。とにかく殆んどが雑誌なのよ。少し文庫はあるけど、たいしたものないわよ。ミステリーとか、時代もの、風俗もの、そういうのしか売れないから。そして実用書。碁の打ちかた、盆栽の育てかた、結婚式のスピーチ、これだけは知らねばならない性生活、煙草はすぐにやめられる、などなど。それからうちは文房具まで売ってるのよ。レジの横にボールペンとか鉛筆とかノートとかそういうの並べてね。それだけ。『戦争と平和』もないし、『性的人間』もないし、『ライ麦畑』もないの。それが小林書店。そんなもののいったいどこがうらやましいっていうのよ？　あなたうらやましい？」

「情景が目の前に浮かぶね」

「ま、そういう店なのよ。近所の人はみんなうちに本を買いにくるし、配達もするし、昔からのお客さんも多いし、一家四人は十分食べていけるわよ。借金もないし。娘を二人大学にやることはできるわよ。でもそれだけ。それ以上に何か特別なことをやるような余裕はうちにはないのよ。だからあんな学校に私を入れたりするべきじゃなかったのよ。そんなの惨めになるだけだもの。何か寄附があるたびに親にぶつぶつ文句を言われて、クラスの友だちとどこかに遊びに行っても食事どきになると高い店に入ってお金が足りなくなるんじゃないかってびくびくしてね。そんな人生って暗いわよ。あなたのお家はお金持なの？」

「うち？　うちはごく普通の勤め人だよ。とくに金持でもないし、とくに貧乏でもない。子供を東京の私立大学にやるのはけっこう大変だと思うけど、まあ子供は僕一人だから問題はない。仕送りはそんなに多くないし、だからアルバイトしてる。ごくあたり前の家だよ。小さな庭があって、トヨタ・カローラがあって」

「どんなアルバイトしてるの？」

「週に三回新宿のレコード屋で夜働いている。楽な仕事だよ。じっと座って店番してりゃいいんだ」

「ふうん」と緑は言った。「私ね、ワタナベ君ってお金に苦労したことなんかない人だって思ってたのよ。なんとなく、見かけで」

「苦労したことはないよ、べつに。それほど沢山お金があるわけじゃないっていうだけのことだし、世の中の大抵の人はそうだよ」

「私の通った学校では大抵の人は金持だったのよ」と彼女は膝の上で両方の手のひらを上に向けて言った。「それが問題だったのよ」

「じゃあこれからはそうじゃない世界をいやっていうくらい見ることになるよ」

「ねえ、お金持であることの最大の利点ってなんだと思う？」

「わからないな」

「お金がないって言えることなのよ。たとえば私がクラスの友だちに何かしましょうよって言うでしょ、すると相手はこう言うの、『私いまお金がないから駄目』って。逆の立場になったら私とてもそんなこと言えないわ。私がもし『いまお金ない』って言ったら、それは本当にお金がないっていうことなんだもの。惨めなだけよ。美人の女の子が『私今日はひどい顔してるから外に出たくないなあ』っていうのと同じね。ブスの子がそんなこと言ってごらんなさいよ、笑われるだけよ。そういうのが私にとっての世界だったのよ。去

て」

「早く忘れたいわ。私ね、大学に入って本当にホッとしたのよ。普通の人がいっぱいい

「そのうちに忘れるよ」と僕は言った。

年までの六年間の」

彼女はほんの少し唇を曲げて微笑み、短かい髪を手のひらで撫でた。

「君は何かアルバイトしてる？」

「うん、地図の解説を書いてるの。ほら、地図を買うと小冊子みたいなのがついてるでしょ？　町の説明とか、人口とか、名所とかについていろいろ書いてあるやつ。ここにこういうハイキング・コースがあって、こういう伝説があって、こういう花が咲いて、こういう鳥がいてとかね。あの原稿を書く仕事なのよ。あんなの本当に簡単なの。アッという間よ。日比谷図書館に行って一日がかりで本を調べたら一冊書けちゃうもの。ちょっとしたコツをのみこんだら仕事なんかいくらでもくるし」

「コツって、どんなコツ？」

「つまりね、他の人が書かないようなことをちょっと盛りこんでおけばいいのよ。すると地図会社の担当の人は『あの子は文章が書ける』って思ってくれるわけ。すごく感心してくれたりしてね。仕事をまわしてくれるのよ。べつにたいしたことじゃなくていいのよ。

ちょっとしたことでいいの。たとえばね、ダムを作るために村がひとつここで沈んだが、渡り鳥たちは今でもまだその村のことを覚えていて、季節が来ると鳥たちがその湖の上をいつまでも飛びまわっている光景が見られる、とかね。そういうエピソードをひとつ入れておくとね、みんなすごく喜ぶのよ。ほら情景的で情緒的でしょ。普通のアルバイトの子ってそういう工夫をしないのよ、あまり。だから私けっこういいお金とってるのよ、その原稿書きで」

「でもよくそういうエピソードがみつかるもんだね、うまく」

「そうねえ」と言って緑は少し首をひねった。「見つけようと思えばなんとか見つかるものだし、見つからなきゃ害のない程度に作っちゃえばいいのよ」

「なるほど」と僕は感心して言った。

「ピース」と緑は言った。

彼女は僕の住んでいる寮の話を聞きたがったので、僕は例によって日の丸の話やら突撃隊のラジオ体操の話やらをした。緑も突撃隊の話で大笑いした。突撃隊は世界中の人を楽しい気持にさせるようだった。緑は面白そうだから一度是非その寮を見てみたいと言った。見たって面白かないさ、と僕は言った。

「男の学生が何百人うす汚ない部屋の中で酒飲んだりマスターベーションしたりしてるだ

けさ」

「ワタナベ君もするの、そういうの？」

「しない人間はいないよ」と僕は説明した。「女の子に生理があるのと同じように、男はマスターベーションやるんだ。みんなやる。誰でもやる」

「恋人がいる人もやるのかしら？　つまりセックスの相手がいる人も？」

「そういう問題じゃないんだ。僕のとなりの部屋の慶応の学生なんてマスターベーションしてからデートに行くよ。その方が落ちつくからって」

「そういうのって私にはよくわかんないわね。ずっと女子校だったから」

「そういうことは婦人雑誌の附録には書いてないしね」

「まったく」と言って緑は笑った。「ところでワタナベ君、今度の日曜日は暇？　あいてる？」

「どの日曜日も暇だよ。六時からアルバイトに行かなきゃならないけど」

「よかったら一度うちに遊びに来ない？　小林書店に。店は閉まってるんだけど、私夕方まで留守番しなくちゃならないの。ちょっと大事な電話がかかってくるかもしれないから。ねえ、お昼ごはん食べない？　作ってあげるわよ」

「ありがたいね」と僕は言った。

緑はノートのページを破って家までの道筋をくわしく地図に描いてくれた。そして赤いボールペンを出して家のあるところに巨大な×印をつけた。

「いやでもわかるわよ。小林書店っていう大きな看板が出てるから。十二時くらいに来てくれる？　ごはん用意してるから」

僕は礼を言ってその地図をポケットにしまった。そしてそろそろ大学に戻って二時からのドイツ語の授業に出ると言った。緑は行くところがあるからと言って四ツ谷から電車に乗った。

日曜日の朝、僕は九時に起きて髭を剃り、洗濯をして洗濯ものを屋上に干した。素晴しい天気だった。最初の秋の匂いがした。赤とんぼの群れが中庭をぐるぐるとびまわり、近所の子供たちが網を持ってそれを追いまわしていた。風はなく、日の丸の旗はだらんと下に垂れていた。僕はきちんとアイロンのかかったシャツを着て寮を出て都電の駅まで歩いた。日曜日の学生街はまるで死に絶えたようにがらんとしていて人影もほとんどなく、大方の店は閉まっていた。町のいろんな物音はいつもよりずっとくっきりと響きわたっていた。木製のヒールのついたサボをはいた女の子がからんからんと音をたてながらアスファルトの道路を横切り、都電の車庫のわきでは四、五人の子供たちが空缶を並べてそれめがけて石を投げていた。花屋が一軒店を開けていたので、僕はそこで水仙の花を何本か買った。秋に水仙を買うというのも変なものだったが、僕は昔から水仙の花が好きなのだ。

日曜日の朝の都電には三人づれのおばあさんしか乗っていなかった。僕が乗るとおばあさんたちは僕の顔と僕の手にした水仙の花を見比べた。一人のおばあさんは僕の顔を見てにっこりと笑った。僕もにっこりとした。そしていちばんうしろの席に座り、窓のすぐ外を通りすぎていく古い家並みを眺めていた。電車は家々の軒先すれすれのところを走っていた。ある家の物干しにはトマトの鉢植が十個もならび、その横で大きな黒猫がひなたぼっこをしていた。小さな子供が庭でしゃぼん玉をとばしているのも見えた。どこかからいしだあゆみの唄が聴こえた。カレーの匂いさえ漂っていた。電車はそんな親密な裏町を縫うようにするすると走っていった。途中の駅で何人か客がのりこんできたが、三人のおばあさんたちは飽きもせず何かについて熱心に顔をつきあわせて話しつづけていた。

大塚駅の近くで僕は都電を降り、あまり見映えのしない大通りを彼女が地図に描いてくれたとおりに歩いた。道筋に並んでいる商店はどれもこれもあまり繁盛しているようには見えなかった。どの店も建物は旧く、中は暗そうだった。看板の字が消えかけているものもあった。建物の旧さやスタイルから見て、このあたりが戦争で爆撃を受けなかったらしいことがわかった。だからこうした家並みがそのままに残されているのだ。もちろん建てなおされたものもあったし、どの家も増築されたり部分的に補修されたりはしていたが、そういうのはまったくの古い家より余計に汚ならしく見えることの方が多かった。人々の多くは車の多さや空気の悪さや騒音や家賃の高さに音をあげて郊外に移っていってしまい、あとに残ったのは安アパートか社宅か引越しのむずかしい商店か、あるいは頑固に昔から住んでいる土地にしがみついている人だけといった雰囲気の町だった。車の排気ガスのせいで、まるでかすみがかかったみたいに何もかもがぼんやりと薄汚れていた。

そんな道を十分ばかり歩いてガソリン・スタンドの角を右に曲ると小さな商店街があり、まん中あたりに「小林書店」という看板が見えた。たしかに大きな店ではなかったけれど、僕が緑の話から想像していたほど小さくはなかった。ごく普通の町のごく普通の本屋だった。僕が子供の頃、発売日を待ちかねて少年雑誌を買いに走っていったのと同じような本屋だった。小林書店の前に立っていると僕はなんとなくなつかしい気分になった。どこの町にもこういう本屋があるのだ。

店はすっかりシャッターをおろし、シャッターには「週刊文春・毎週木曜日発売」と書いてあった。十二時にはまだ十五分ほど間があったが、水仙の花を持って商店街を歩いて時間をつぶすのもあまり気が進まなかったので、僕はシャッターのわきにあるベルを押し、二、三歩うしろにさがって返事を待った。十五秒くらい待ったが返事はなかった。もう一度ベルを押したものかどうか迷っていると、上の方でガラガラと窓の開く音がした。見上げると緑が窓から首を出して手を振っていた。

「シャッター開けて入ってらっしゃいよ」と彼女はどなった。

「ちょっと早かったけど、いいかな?」と僕もどなりかえした。

「かまわないわよ、ちっとも。二階に上ってきてよ。私、今ちょっと手が放せないの」そしてまたガラガラと窓が閉った。

僕はとんでもなく大きい音をたててシャッターを一メートルほど押しあげ、身をかがめて中に入り、またシャッターを下ろした。店の中はまっ暗だった。僕はひもで縛って床に置いてある返品用の雑誌につまずいて転びそうになりながらようやく店の奥にたどりつき、手さぐりで靴を脱いで上にあがった。家の中はうすぼんやりと暗かった。土間から上ったところは簡単な応接室のようになっていて、ソファー・セットが置いてあった。それほど広くはない部屋で、窓からは一昔前のポーランド映画みたいなうす暗い光がさしこんでいた。左手には倉庫のような物置のようなスペースがあり、便所のドアも見えた。右手の急な階段を用心ぶかく上っていくと二階に出た。二階は一階に比べると格段に明るかったので僕は少なからずホッとした。

「ねえ、こっち」とどこかで緑の声がした。階段を上ったところの右手に食堂のような部屋があり、その奥に台所があった。家そのものは旧かったが、台所はつい最近改築されたらしく、流し台も蛇口も収納棚もぴかぴかに新しかった。そしてそこで緑が食事の仕度をしていた。鍋で何かを煮るぐつぐつという音がして、魚を焼く匂いがした。

「冷蔵庫にビールが入ってるから、そこに座って飲んでてくれる？」と緑がちらっとこちらを見て言った。僕は冷蔵庫から缶ビールを出してテーブルに座って飲んだ。ビールは半年くらいそこに入ってたんじゃないかと思えるくらいよく冷えていた。テーブルの上には小さな白い灰皿と新聞と醤油さしがのっていた。メモ用紙とボールペンもあって、メモ用紙には電話番号と買物の計算らしい数字が書いてあった。

「あと十分くらいでできると思うんだけど、そこで待っててくれる？　待てる？」

「もちろん待てるよ」と僕は言った。

「待ちながらおなか減らしておいてよ。けっこう量あるから」

僕は冷たいビールをすすりながら一心不乱に料理を作っている緑のうしろ姿を眺めていた。彼女は素速く器用に体を動かしながら、一度に四つくらいの料理のプロセスをこなしていた。こちらで煮ものの味見をしたかと思うと、何かをまな板の上で素速く刻み、冷蔵庫から何かを出して盛りつけ、使い終った鍋をさっと洗った。うしろから見ているとその姿はインドの打楽器奏者を思わせた。あっちのベルを鳴らしたかと思うとこっちの板を叩き、そして水牛の骨を打ったり、という具合だ。ひとつひとつの動作が俊敏で無駄がなく、全体のバランスがすごく良かった。僕は感心してそれを眺めていた。

「何か手伝うことあったらやるよ」と僕は声をかけてみた。

「大丈夫よ。私一人でやるのに馴れてるから」と緑は言ってちらりとこちらを向いて笑った。緑は細いブルージーンズの上にネイビー・ブルーのTシャツを着ていた。Tシャツの背中にはアップル・レコードのりんごのマークが大きく印刷されていた。うしろから見ると彼女の腰はびっくりするくらいほっそりとしていた。まるで腰をがっしりと固めるための成長の一過程が何かの事情でとばされてしまったんじゃないかと思えるくらいの華奢な腰だった。そのせいで普通の女の子がスリムのジーンズをはいたときの姿よりはずっと中性的な印象があった。流しの上の窓から入ってくる明るい光が彼女の体の輪郭にぼんやりとふちどりのようなものをつけていた。

「そんなに立派な食事作ることなかったのにさ」と僕は言った。

「ぜんぜん立派じゃないわよ」と緑はふり向かずに言った。「昨日は私忙しくてろくに買物できなかったし、冷蔵庫のありあわせのものを使ってさっと作っただけ。だからぜんぜん気にしないで。本当よ。それにね、客あしらいの良いのはうちの家風なの。うちの家族ってね、どういうわけだか人をもてなすのが大好きなのよ、根本的に。もう病気みたいなものよね、これ。べつにとりたてて親切な一家というわけでもないし、べつにそのことで人望があるというのでもないんだけれど、とにかくお客があると何はともあれもてなさないわけにはいかないの。全員がそういう性分なのよ、幸か不幸か。だからね、うちのお父さんなんか自分じゃ殆んどお酒飲まないくせに、うちの中もうお酒だらけよ。なんでだと思う？　お客に出すためよ。だからビールどんどん飲んでね、遠慮なく」

「ありがとう」と僕は言った。

それから突然僕は水仙の花を階下に置き忘れてきたことに気づいた。靴を脱ぐときに横に置いてそのまま忘れてきてしまったのだ。僕はもう一度下におりて薄暗がりの中に横たわった十本の水仙の白い花をとって戻ってきた。緑は食器棚から細長いグラスを出して、そこに水仙をいけた。

「私、水仙って大好きよ」と緑は言った。「昔ね高校の文化祭で『七つの水仙』唄ったことあるのよ。知ってる、『七つの水仙』？」

「知ってるよ、もちろん」

「昔フォーク・グループやってたの。ギター弾いて」

そして彼女は「七つの水仙」を唄いながら料理を皿にもりつけていった。

緑の料理は僕の想像を遥かに越えて立派なものだった。鰺の酢のものに、ぼってりとしただしまき玉子、自分で作ったさわらの西京漬、なすの煮もの、じゅんさいの吸物、しめじの御飯、それにたくあんを細かくきざんで胡麻をまぶしたものがたっぷりとついていた。味つけはまったくの関西風の薄味だった。

「すごくおいしい」と僕は感心して言った。

「ねえワタナベ君、正直言って私の料理ってそんなに期待してなかったでしょ？　見かけからして」

「まあね」と僕は正直に言った。

「あなた関西の人だからそういう味つけ好きでしょ？」

「僕のためにわざわざ薄味でつくったの？」

「まさか。いくらなんでもそんな面倒なことしないわよ。家はいつもこういう味つけよ」

「お父さんかお母さんが関西の人なの、じゃあ？」

「ううん、お父さんはずっとここの人だし、お母さんは福島の人よ。うちの親戚中探したって関西の人なんて一人もいないわよ。うちは東京・北関東系の一家なの」

「よくわからないな」と僕は言った。「じゃあどうしてこんなきちんとした正統的な関西風の料理が作れるの？　誰かに習ったわけ？」

「まあ、話せば長くなるんだけどね」と彼女はだしまき玉子を食べながら言った。「うちのお母さんというのがなにしろ家事と名のつくものが大嫌いな人でね、料理なんてものは殆んど作らなかったの。それにほら、うちは商売やってるでしょ、だから忙しいと今日は店屋ものにしちゃおうとか、肉屋でできあいのコロッケ買ってそれで済ましちゃおうとか、そういうことがけっこう多かったのよ。私、そういうのが子供の頃から本当に嫌だったの。嫌で嫌でしょうがなかったの。三日分カレー作って毎日それを食べてるとかね。それである日、中学校三年生のときだけど、食事はちゃんとしたものを自分で作ってやると決心したわけ。そして新宿の紀伊國屋に行っていちばん立派そうな料理の本を買って帰ってきて、そこに書いてあることを隅から隅まで全部マスターしたの。まな板の選び方、包丁の研ぎ方、魚のおろし方、かつおぶしの削り方、何もかもよ。そしてその本を書いた人が関西の人だったから私の料理は全部関西風になっちゃったわけ」

「じゃあこれ、全部本で勉強したの？」と僕はびっくりして訊いた。

「あとはお金を貯めてちゃんとした懐石料理を食べに行ったりしてね。それで味を覚えて。私ってけっこう勘はいいのよ。論理的思考って駄目だけど」

「誰にも教わらずにこれだけ作れるってたいしたもんだと思うよ、たしかに」

「そりゃ大変だったわよ」と緑はため息をつきながら言った。「なにしろ料理なんてものにまるで理解も関心もない一家でしょ。きちんとした包丁とか鍋とか買いたいって言ってもお金なんて出してくれないのよ。今ので十分だっていうの。冗談じゃないわよ。あんなペラペラの包丁で魚なんておろせるもんですか。でもそう言うとね、魚なんかおろさなくていいって言われるの。だから仕方ないわよ。せっせとおこづかいためて出刃包丁とか鍋とかザルとか買ったの。ねえ信じられる？　十五か十六の女の子が一所懸命爪に火をともすようにお金ためてザルやら砥石やら天ぷら鍋買ってるなんて。まわりの友だちはたっぷりおこづかいもらって素敵なドレスやら靴やら買ってるっていうのによ。可哀そうだと思うでしょ？」

僕はじゅんさいの吸物をすすりながら肯いた。

「高校一年生のときに私どうしても玉子焼き器が欲しかったの。だしまき玉子をつくるための細長い銅のやつ。それで私、新しいブラジャーを買うためのお金使ってそれ買っちゃったの。おかげでもう大変だったわ。だって私三ヵ月くらいたった一枚のブラジャーで暮したのよ。信じられる？　夜に洗ってね、一所懸命乾かして、朝にそれをつけて出ていくの。乾かなかったら悲劇よね、これ。世の中で何が哀しいって生乾きのブラジャーつけるくらい哀しいことないわよ。もう涙がこぼれちゃうわよ。とくにそれがだしまき玉子焼き器のためだなんて思うとね」

「まあそうだろうね」と僕は笑いながら言った。

「だからお母さんが死んじゃったあとね、まあお母さんにはわるいとは思うんだけどいさ さかホッとしたわね。そして家計費好きに使って好きなもの買ったの。だから今じゃ料理 用具はなかなかきちんとしたもの揃ってるわよ。だってお父さんなんて家計費がどうなっ てるのか全然知らないんだもの」

「お母さんはいつ亡くなったの？」

「二年前」と彼女は短かく答えた。「癌よ。脳腫瘍。一年半入院して苦しみに苦しんで最後には頭がおかしくなって薬づけになって、それでも死ねなくて、殆んど安楽死みたいな格好で死んだの。なんて言うか、あれ最悪の死に方よね。本人も辛いし、まわりも大変だし。おかげでうちなんかお金なくなっちゃったわよ。一本二万円の注射ぽんぽん射つわ、つきそいはつけなきゃいけないわ、なんのかのでね。看病してたおかげで私は勉強できなくて浪人しちゃうし、踏んだり蹴ったりよ。おまけに――」と彼女は何かを言いかけたが思いなおしてやめ、箸を置いてため息をついた。「でもずいぶん暗い話になっちゃったわね。なんでこんな話になったんだっけ？」

「ブラジャーのあたりからだね」と僕は言った。

「そのだしまきよ。心して食べてね」と緑は真面目な顔をして言った。

僕は自分のぶんを食べてしまうとおなかがいっぱいになった。緑はそれほどの量を食べなかった。料理作ってるとね、作ってるだけでもうおなかいっぱいになっちゃうのよ、と緑は言った。食事が終ると彼女は食器をかたづけ、テーブルの上を拭き、どこかからマルボロの箱を持ってきて一本くわえ、マッチで火をつけた。そして水仙をいけたグラスを手にとってしばらく眺めた。

「このままの方がいいみたいね」と緑は言った。「花瓶に移さなくていいみたい。こういう風にしてると、今ちょっとそこの水辺で水仙をつんできてとりあえずグラスにさしてあるっていう感じがするもの」

「大塚駅の前の水辺でつんできたんだ」と僕は言った。

緑はくすくす笑った。「あなたって本当に変ってるわね。冗談なんか言わないって顔して冗談言うんだもの」

緑は頬杖をついて煙草を半分吸い、灰皿にぎゅっとこすりつけるようにして消した。煙が目に入ったらしく指で目をこすっていた。

「女の子はもう少し上品に煙草を消すもんだよ」と僕は言った。「それじゃ木樵女みたいだ。無理に消そうと思わないでね、ゆっくりまわりの方から消していくんだ。そうすればそんなにくしゃくしゃにならないですむ。それじゃちょっとひどすぎる。それからどんなことがあっても鼻から煙を出しちゃいけない。男と二人で食事しているときに三ヵ月一枚のブラジャーでとおしたなんていう話もあまりしないね、普通の女の子は」

「私、木樵女なのよ」と緑は鼻のわきを掻きながら言った。「どうしてもシックになれないの。ときどき冗談でやるけど身につかないの。他に言いたいことある？」

「マルボロは女の子の吸う煙草じゃないね」

「いいのよ、べつに。どうせ何吸ったって同じくらいまずいんだもの」と彼女は言った。そして手の中でマルボロの赤いハード・パッケージをくるくるとまわした。「先月吸いはじめたばかりなの。本当はとくに吸いたいわけでもないんだけど、ちょっと吸ってみようかなと思ってね、ふと」

「どうしてそう思ったの？」

緑はテーブルの上に置いた両手をぴたりとあわせてしばらく考えていた。「どうしてもよ。ワタナベ君は煙草吸わないの？」

「六月にやめたんだ」

「どうしてやめたの？」

「面倒臭かったからだよ。夜中に煙草が切れたときの辛さとか、そういうのがさ。だからやめたんだ。何かにそんな風に縛られるのって好きじゃないんだよ」

「あなたってわりに物事をきちんと考える性格なのね、きっと」

「まあそうかもしれないな」と僕は言った。「たぶんそのせいで人にあまり好かれないんだろうね。昔からそうだな」

「それはね、あなたが人に好かれなくったってかまわないと思っているように見えるからよ。だからある種の人は頭にくるんじゃないかしら」と彼女は頬杖をつきながらもそもそした声で言った。「でも私あなたと話してるの好きよ。しゃべり方だってすごく変ってるし。『何かにそんな風に縛られるのって好きじゃないんだよ』」

僕は彼女が食器を洗うのを手伝った。僕は緑のとなりに立って、彼女の洗う食器をタオルで拭いて、調理台の上に積んでいった。

「ところで家族の人はみんな何処に行っちゃったの、今日は？」と僕は訊いてみた。

「お母さんはお墓の中よ。二年前死んだの」

「それ、さっき聞いた」

「お姉さんは婚約者とデートしてるの。どこかドライブに行ったんじゃないかしら。お姉さんの彼はね自動車会社につとめてるの。だから自動車大好きで。私ってあんまり車好きじゃないんだけど」

緑はそれから黙って皿を洗い、僕も黙ってそれを拭いた。

「あとはお父さんね」と少しあとで緑は言った。

「そう」

「お父さんは去年の六月にウルグァイに行ったまま戻ってこないの」

「ウルグァイ？」と僕はびっくりして言った。「なんでまたウルグァイなんかに？」

「ウルグァイに移住しようとしたのよ、あの人。馬鹿みたいな話だけど。軍隊のときの知りあいがウルグァイに農場持ってて、そこに行きゃなんとでもなるって急に言いだして、そのまま一人で飛行機乗って行っちゃったの。私たち一所懸命とめたのよ、そんなところ行ったってどうしようもないし、言葉もできないし、だいいちお父さん東京から出たことだってロクにないじゃないのって。でも駄目だったわ。きっとあの人、お母さんを亡くしたのがものすごいショックだったのね。それで頭のタガが外れちゃったのよ。それくらいあの人、お母さんのことを愛してたのよ。本当よ」

僕はうまく相槌が打てなくて、口をあけて緑を眺めていた。

「お母さんが死んだとき、お父さんが私とお姉さんに向ってなんて言ったか知ってる？こう言ったのよ。『俺は今とても悔しい。俺はお母さんを亡くすよりはお前たち二人を死なせた方がずっとよかった』って。私たち唖然として口もきけなかったわ。だってそう思うでしょ？　いくらなんでもそんな言い方ってないじゃない。そりゃね、最愛の伴侶を失った辛さ哀しさ苦しみ、それはわかるわよ。気の毒だと思うわよ。でも実の娘に向ってお前らがかわりに死にゃあよかったんだってのはないと思わない？　それはちょっとひどすぎると思わない？」

「まあ、そうだな」

「私たちだって傷つくわよ」と緑は首を振った。「とにかくね、うちの家族ってみんなちょっと変ってるのよ。どこか少しずつずれてんの」

「みたいだね」と僕も認めた。

「でも人と人が愛しあうって素敵なことだと思わない？　娘に向ってお前らがかわりに死にゃ良かったんだなんて言えるくらい奥さんを愛せるなんて？」

「まあそう言われてみればそうかもしれない」

「そしてウルグァイに行っちゃったの。私たちをひょいと放り捨てて」

僕は黙って皿を拭いた。全部の皿を拭いてしまうと緑は僕が拭いた食器を棚にきちんとしまった。

「それでお父さんからは連絡ないの？」と僕は訊いた。

「一度だけ絵ハガキが来たわ。今年の三月に。でもくわしいことは何も書いてないの。こっちは暑いだとか、思ったほど果物がうまくないだとか、そんなことだけ。まったく冗談じゃないわよねえ。下らないロバの写真の絵ハガキで。頭がおかしいのよ、あの人。その友だちだか知りあいだかに会えたかどうかさえ書いてないの。終りの方にもう少し落ちついたら私とお姉さんを呼びよせるって書いてあったけど、それっきり音信不通。こっちから手紙出しても返事も来やしないし」

「それでもしお父さんがウルグァイに来いって言ったら、君どうするの？」

「私は行ってみるわよ。だって面白そうじゃない。お姉さんは絶対に行かないって。うちのお姉さんは不潔なものとか不潔な場所とかが大嫌いなの」

「ウルグァイってそんなに不潔なの？」

「知らないわよ。でも彼女はそう信じてるの。道はロバのウンコでいっぱいで、そこに蠅がいっぱいたかって、水洗便所の水はろくに流れなくて、トカゲやらサソリやらがうようよいるって。そういう映画をどこかで見たんじゃないかしら。お姉さんって虫も大嫌いなの。お姉さんの好きなのはちゃらちゃらした車に乗って湘南あたりをドライブすることなの」

「ふうん」

「ウルグァイ、いいじゃない。私は行ってもいいわよ」

「それじゃこのお店は今誰がやってるの？」と僕は訊いてみた。

「お姉さんがいやいややってるの。近所に住んでる親戚のおじさんが毎日手伝ってくれて配達もやってくれるし、私も暇があれば手伝うし、まあ書店というのはそれほど重労働じゃないからなんとかかんとかやれてるわよ。どうにもやれなくなったらお店畳んで売っちゃうつもりだけど」

「お父さんのことは好きなの？」

緑は首を振った。「とくに好きってわけでもないわね」

「じゃあどうしてウルグァイまでついていくの？」

「信用してるからよ」

「信用してる？」

「そう、たいして好きなわけじゃないけど信用はしてるのよ、お父さんのことを。奥さんを亡くしたショックで家も子供も仕事も放りだしてふらっとウルグァイに行っちゃうような人を私は信用するのよ。わかる？」

僕はため息をついた。「わかるような気もするし、わからないような気もするし」

緑はおかしそうに笑って、僕の背中を軽く叩いた。「いいのよ、べつにどっちだっていいんだから」と彼女は言った。

その日曜日の午後にはばたばたといろんなことが起った。奇妙な日だった。緑の家のすぐ近所で火事があって、僕らは三階の物干しにのぼってそれを見物し、そしてなんとなくキスをした。そんな風に言ってしまうと馬鹿みたいだけれど、物事は実にそのとおりに進行したのだ。

僕らが大学の話をしながら食後のコーヒーを飲んでいると、消防自動車のサイレンの音が聞こえた。サイレンの音はだんだん大きくなり、その数も増えているようだった。窓の下を大勢の人が走り、何人かは大声で叫んでいた。緑は通りに面した部屋に行って窓を開けて下を見てから、ちょっとここで待っててねと言ってからどこかに消えた。とんとんと足早に階段を上る音が聞こえた。

僕は一人でコーヒーを飲みながらウルグァイっていったいどこにあったんだっけと考えていた。ブラジルがあそこで、ベネズエラがあそこで、このへんがコロンビアでとずっと考えていたが、ウルグァイがどのへんにあるのかはどうしても思いだせなかった。そのうちに緑が下におりてきて、ねえ、早く一緒に来てよと言った。僕は彼女のあとをついて廊下のつきあたりにある狭い急な階段を上り、広い物干し場に出た。物干し場はまわりの家の屋根よりもひときわ高くなっていて、近所が一望に見わたせた。三軒か四軒向うからもうもうと黒煙が上がり、微風にのって大通りの方に流れていた。きな臭い匂いが漂っていた。

「あれ阪本さんのところだわね」と緑は手すりから身をのりだすようにして言った。「阪本さんって以前建具屋さんだったの。今は店じまいして商売してはいないんだけど」

僕も手すりから身をのりだしてそちらを眺めてみた。ちょうど三階建てのビルのかげになっていて、くわしい状況はわからなかったけれど、消防車が三台か四台あつまって消火作業をつづけているようだった。もっとも通りが狭いせいで、せいぜい二台しか中に入れず、あとの車は大通りの方で待機していた。そして通りには例によって見物人がひしめいていた。

「大事なものがあったらまとめて、ここは避難した方がいいみたいだな」と僕は緑に言った。「今は風向きが逆だからいいけど、いつ変るかもしれないし、すぐそこがガソリン・スタンドだものね。手伝うから荷物をまとめなよ」

「大事なものなんてないわよ」と緑は言った。

「でも何かあるだろう。預金通帳とか実印とか証書とか、そういうもの。とりあえずのお金だってなきゃ困るし」

「大丈夫よ。私逃げないもの」

「ここが燃えても？」

「ええ」と緑は言った。「死んだってかまわないもの」

僕は緑の目を見た。緑も僕の目を見た。彼女の言っていることがどこまで本気なのかどこから冗談なのかさっぱり僕にはわからなかった。僕はしばらく彼女を見ていたが、そのうちにもうどうでもいいやという気になってきた。

「いいよ、わかったよ。つきあうよ、君に」と僕は言った。

「一緒に死んでくれるの？」と緑は目をかがやかせて言った。

「まさか。危くなったら僕は逃げるよ。死にたいんなら君が一人で死ねばいいさ」

「冷たいのね」

「昼飯をごちそうしてもらったくらいで一緒に死ぬわけにはいかないよ。夕食ならともかくさ」

「ふうん、まあいいわ、とにかくここでしばらく成りゆきを眺めながら唄でも唄ってましょうよ。まずくなってきたらまたその時に考えればいいもの」

「唄？」

緑は下から座布団を二枚と缶ビールを四本とギターを物干し場に運んできた。そして僕らはもうもうと上る黒煙を眺めつつビールを飲んだ。そして緑はギターを弾いて唄を唄った。こんなことして近所の顰蹙を買わないのかと僕は緑に訊ねてみた。近所の火事を見物しながら物干しで酒を飲んで唄を唄うなんてあまりまともな行為だとは思えなかったからだ。

「大丈夫よ、そんなの。私たち近所のことって気にしないことにしてるの」と緑は言った。

彼女は昔はやったフォーク・ソングを唄った。唄もギターもお世辞にも上手いとは言えなかったが、本人はとても楽しそうだった。彼女は「レモン・ツリー」だの「パフ」だの「五〇〇マイル」だの「花はどこに行った」だの「漕げよマイケル」だのをかたっぱしから唄っていった。はじめのうち緑は僕に低音パートを教えて二人で合唱しようとしたが、僕の唄があまりにもひどいのでそれはあきらめ、あとは一人で気のすむまで唄いつづけた。僕はビールをすすり、彼女の唄を聴きながら、火事の様子を注意深く眺めていた。煙は急に勢いよくなったかと思うと少し収まりというのをくりかえしていた。人々は大声で何かを叫んだり命令したりしていた。ぱたぱたという大きな音をたてて新聞社のヘリコプターがやってきて写真を撮って帰っていった。我々の姿が写ってなければいいけれどと僕は思った。警官がラウド・スピーカーで野次馬に向ってもっとうしろに退ってなさいとどなっていた。子供が泣き声で母親を呼んでいた。どこかでガラスの割れる音がした。やがて風が不安定に舞いはじめ、白い燃えさしのようなものが我々のまわりにもちらほらと舞ってくるようになった。それでも緑はちびちびとビールを飲みながら気持良さそうに唄いつづけていた。知っている唄をひととおり唄ってしまうと、今度は自分で作詞・作曲したという不思議な唄を唄った。

あなたのためにシチューを作りたいのに
私には鍋がない。
あなたのためにマフラーを編みたいのに
私には毛糸がない。
あなたのために詩を書きたいのに
私にはペンがない。

「『何もない』っていう唄なの」と緑は言った。歌詞もひどいし、曲もひどかった。

僕はそんな無茶苦茶な唄を聴きながら、もしガソリン・スタンドに引火したら、この家も吹きとんじゃうだろうなというようなことを考えていた。緑は唄い疲れるとギターを置き、日なたの猫みたいにごろんと僕の肩にもたれかかった。

「私の作った唄どうだった？」と緑が訊いた。

「ユニークで独創的で、君の人柄がよく出てる」と僕は注意深く答えた。

「ありがとう」と彼女は言った。「何もない——というのがテーマなの」

「わかるような気がする」と僕は肯いた。

「ねえ、お母さんの死んだときのことなんだけどね」と緑は僕の方を向いて言った。

「うん」

「私ちっとも悲しくなかったの」

「うん」

「それからお父さんがいなくなっても全然悲しくないの」

「そう？」

「そう。こういうのってひどいと思わない？　冷たすぎると思わない？」

「でもいろいろと事情があるわけだろう？　そうなるには」

「そうね、まあ、いろいろとね」と緑は言った。「それなりに複雑だったのよ、うち。でもね、私ずっとこう思ってたのよ。なんのかんのといっても実のお父さん・お母さんなんだから、死んじゃったり別れちゃったりしたら悲しいだろうって。でも駄目なのよね。なんにも感じないのよ。悲しくもないし、淋しくもないし、辛くもないし、殆んど思いだしもしないのよ。ときどき夢に出てくるだけ。お母さんが出てきてね、暗闇の奥からじっと私を睨んでこう非難するのよ、『お前、私が死んで嬉しいんだろう？』ってね。べつに嬉しかないわよ、お母さんが死んだことは。ただそれほど悲しくないっていうだけのことなの。正直なところ涙一滴出やしなかったわ。子供のとき飼ってた猫が死んだときは一晩泣いたのにね」

なんだってこんなにいっぱい煙が出るんだろうと僕は思った。火も見えないし、燃え広がった様子もない。ただ延々と煙がたちのぼっているのだ。いったいこんなに長いあいだ何が燃えているんだろうと僕は不思議に思った。

「でもそれは私だけのせいじゃないのよ。そりゃ私も情の薄いところあるわよ。それは認めるわ。でもね、もしあの人たちが――お父さんとお母さんが――もう少し私のことを愛してくれていたとしたら、私だってもっと違った感じ方ができてたと思うの。もっともっと悲しい気持になるとかね」

「あまり愛されなかったと思うの？」

彼女は首を曲げて僕の顔を見た。そしてこくんと肯いた。「『十分じゃない』と『全然足りない』の中間くらいね。いつも飢えてたの、私。一度でいいから愛情をたっぷりと受けてみたかったの。もういい、おなかいっぱい、ごちそうさまっていうくらい。一度でいいのよ、たった一度で。でもあの人たちはただの一度も私にそういうの与えてくれなかったわ。甘えるとつきとばされて、金がかかるって文句ばかり言われて、ずうっとそうだったのよ。それで私こう思ったの、私のことを年中百パーセント愛してくれる人を自分でみつけて手に入れてやるって。小学校五年か六年のときにそう決心したの」

「すごいね」と僕は感心して言った。「それで成果はあがった？」

「むずかしいところね」と緑は言った。そして煙を眺めながらしばらく考えていた。「たぶんあまりに長く待ちすぎたせいね、私すごく完璧なものを求めてるの。だからむずかしいのよ」

「完璧な愛を？」

「違うわよ。いくら私でもそこまでは求めてないわよ。私が求めているのは単なるわがままなの。完璧なわがまま。たとえば今私があなたに向って苺のショート・ケーキが食べたいって言うわね、するとあなたは何もかも放りだして走ってそれを買いに行くのよ。そしてはあはあ言いながら帰ってきて『はいミドリ、苺のショート・ケーキだよ』ってさしだすでしょ、すると私は『ふん、こんなのもう食べたくなくなっちゃったわよ』って言ってそれを窓からぽいと放り投げるの。私が求めているのはそういうものなの」

「そんなの愛とは何の関係もないような気がするけどな」と僕はいささか愕然として言っ

た。

「あるわよ。あなたが知らないだけよ」と緑は言った。「女の子にはね、そういうのがものすごく大切なときがあるのよ」

「苺のショート・ケーキを窓から放り投げることが？」

「そうよ。私は相手の男の人にこう言ってほしいのよ。『わかったよ、ミドリ。僕がわるかった。君が苺のショート・ケーキを食べたくなくなることくらい推察するべきだった。僕はロバのウンコみたいに馬鹿で無神経だった。おわびにもう一度何かべつのものを買いに行ってきてあげよう。何がいい？　チョコレート・ムース、それともチーズ・ケーキ？』」

「するとどうなる？」

「私、そうしてもらったぶんきちんと相手を愛するの」

「ずいぶん理不尽な話みたいに思えるけどな」

「でも私にとってそれが愛なのよ。誰も理解してくれないけれど」と緑は言って僕の肩の上で小さく首を振った。「ある種の人々にとって愛というのはすごくささやかな、あるいは下らないところから始まるのよ。そこからじゃないと始まらないのよ」

「君みたいな考え方をする女の子に会ったのははじめてだな」と僕は言った。

「そう言う人はけっこう多いわね」と彼女は爪の甘皮をいじりながら言った。「でも私、真剣にそういう考え方しかできないのよ。ただ正直に言ってるだけなの。べつに他人と変った考え方してるなんて思ったこともないし、そんなもの求めてるわけでもないのよ。でも私が正直に話すと、みんな冗談か演技だと思うの。それでときどき何もかも面倒臭くなっちゃうけどね」

「そして火事で死んでやろうと思うの？」

「あら、これはそういうんじゃないわよ。これはね、ただの好奇心」

「火事で死ぬことが？」

「そうじゃなくてあなたがどう反応するか見てみたかったのよ」と緑は言った。「でも死ぬこと自体はちっとも怖くないわよ。それは本当。こんなの煙にまかれて気を失ってそのまま死んじゃうだけだもの、あっという間よ。全然怖くないわ。私の見てきたお母さんやら他の親戚の人の死に方に比べたらね。ねえ、うちの親戚ってみんな大病して苦しみ抜いて死ぬのよ。なんだかどうもそういう血筋らしいの。死ぬまでにすごく時間がかかるわけ。最後の方は生きてるのか死んでるのかそれさえわからないくらい。残ってる意識と言えば痛みと苦しみだけ」

緑はマルボロをくわえて火をつけた。

「私が怖いのはね、そういうタイプの死なのよ。ゆっくりとゆっくりと死の影が生命の領域を侵蝕して、気がついたらうす暗くて何も見えなくなっていて、まわりの人も私のことを生者よりは死者に近いと考えているような、そういう状況なのよ。そんなのって嫌よ。絶対に耐えられないわ、私」

結局それから三十分ほどで火事はおさまった。たいした延焼もなく、怪我人も出なかったようだった。消防車も一台だけを残して帰路につき、人々もがやがやと話をしながら商店街をひきあげていった。交通を規制するパトカーが残って路上でライトをぐるぐると回転させていた。どこかからやってきた二羽の鴉が電柱のてっぺんにとまって地上の様子を眺めていた。

火事が終ってしまうと緑はなんとなくぐったりとしたみたいだった。体の力を抜いてぼんやりと遠くの空を眺めていた。そして殆んど口をきかなかった。

「疲れたの？」と僕は訊いた。

「そうじゃないのよ」と緑は言った。「久しぶりに力を抜いてただけなの。ぼおっとして」

僕が緑の目を見ると、緑も僕の目を見た。僕は彼女の肩を抱いて、口づけした。緑はほんの少しだけぴくっと肩を動かしたけれど、すぐにまた体の力を抜いて目を閉じた。五秒か六秒、我々はそっと唇をあわせていた。初秋の太陽が彼女の頬の上にまつ毛の影を落とし、それが細かく震えているのが見えた。

それはやさしく穏やかで、そして何処に行くあてもない口づけだった。午後の日だまりの中で物干し場に座ってビールを飲んで火事見物をしていなかったとしたら、僕はその日緑に口づけなんかしなかっただろうし、その気持は彼女の方も同じだったろうと思う。僕らは物干し場からきらきらと光る家々の屋根や煙や赤とんぼやそんなものをずっと眺めていて、あたたかくて親密な気分になっていて、そのことを何かのかたちで残しておきたいと無意識に考えていたのだろう。我々の口づけはそういうタイプの口づけだった。しかしもちろんあらゆる口づけがそうであるように、ある種の危険がまったく含まれていないというわけではなかった。

最初に口を開いたのは緑だった。彼女は僕の手をそっととった。そしてなんだか言いにくそうに自分にはつきあっている人がいるのだと言った。それはなんとなくわかってると僕は言った。

「あなたには好きな女の子いるの?」

「いるよ」

「でも日曜日はいつも暇なのね?」

「とても複雑なんだ」と僕は言った。

そして僕は初秋の午後の束の間の魔力がもうどこかに消え去っていることを知った。

五時に僕はアルバイトに行くからと言って緑の家を出た。一緒に外に出て軽く食事しないかと誘ってみたが、電話がかかってくるかもしれないからと、彼女は断った。

「一日中家の中にいて電話を待ってなきゃいけないなんて本当に嫌よね。一人きりでいるとね、体が少しずつ腐っていくような気がするのよ。だんだん腐って溶けて最後には緑色のとろっとした液体だけになってね、地底に吸いこまれていくの。そしてあとには服だけが残るの。そんな気がするわね、一日じっと待ってると」

「もしまた電話待ちするようなことがあったら一緒につきあうよ。昼ごはんつきで」と僕は言った。

「いいわよ。ちゃんと食後の火事も用意しておくから」と緑は言った。

＊

翌日の「演劇史II」の講義に緑は姿を見せなかった。講義が終ると学生食堂に入って一人で冷たくてまずいランチを食べ、それから日なたに座ってまわりの風景を眺めた。すぐとなりでは女子学生が二人でとても長い立ち話をつづけていた。一人は赤ん坊でも抱くみたいに大事そうにテニス・ラケットを胸に抱え、もう一人は本を何冊かとレナード・バーンスタインのLPを持っていた。二人ともきれいな子で、ひどく楽しそうに話をしていた。クラブ・ハウスの方からは誰かがベースの音階練習をしている音が聞こえてきた。ところどころに四、五人の学生のグループがいて、彼らは何やかやについて好き勝手な意見を表明したり笑ったりどなったりしていた。駐車場にはスケートボードで遊んでいる連中がいた。革かばんを抱えた教授がスケートボードをよけるようにしてそこを横切っていた。中庭ではヘルメットをかぶった女子学生が地面にかがみこむようにして米帝のアジア侵略がどうしたこうしたという立て看板を書いていた。いつもながらの大学の昼休みの風景だった。しかし久しぶりにあらためてそんな風景を眺めているうちに僕はふとある事実に気づいた。人々はみんなそれぞれに幸せそうに見えるのだ。彼らが本当に幸せなのかあるいはただ単にそう見えるだけなのかはわからない。でもとにかくその九月の終りの気持の良い昼下り、人々はみんな幸せそうに見えたし、そのおかげで僕はいつになく淋しい想いをした。僕ひとりだけがその風景に馴染んでいないように思えたからだ。

でも考えてみればこの何年間かのあいだいったいどんな風景に馴染んできたというのだ？　と僕は思った。僕が覚えている最後の親密な光景はキズキと二人で玉を撞いた港の近くのビリヤード場の光景だった。そしてその夜にはキズキはもう死んでしまい、それ以来僕と世界とのあいだには何かしらぎくしゃくとして冷やかな空気が入りこむことになってしまったのだ。僕にとってキズキという男の存在はいったい何だったんだろうと考えてみた。でもその答をみつけることはできなかった。僕にわかるのはキズキの死によって僕のアドレセンスとでも呼ぶべき機能の一部が完全に永遠に損われてしまったらしいということだけだった。僕はそれをはっきりと感じ理解することができた。しかしそれが何を意味し、どのような結果をもたらすことになるのかということは全く理解の外にあった。

僕は長いあいだそこに座ってキャンパスの風景とそこを往き来する人々を眺めて時間をつぶした。ひょっとして緑に会えるかもしれないとも思ったが、結局その日彼女の姿を見ることはなかった。昼休みが終ると僕は図書室に行ってドイツ語の予習をした。

＊

その週の土曜日の午後に永沢さんが僕の部屋に来て、よかったら今夜遊びに行かないか、外泊許可はとってやるからと言った。いいですよ、と僕は言った。この一週間ばかり僕の頭はひどくもやもやとしていて、誰とでもいいから寝てみたいという気分だったのだ。

僕は夕方風呂に入って髭を剃り、ポロシャツの上にコットンの上着を着た。そして永沢さんと二人で食堂で夕食をとり、バスに乗って新宿の町に出た。新宿三丁目の喧噪の中でバスを降り、そのへんをぶらぶらしてからいつも行く近くのバーに入って適当な女の子がやってくるのを待った。女同士の客が多いのが特徴の店だったのだが、その日に限って女の子はまったくと言ってもいいくらい我々のまわりには近づいてこなかった。僕らは酔払わない程度にウィスキー・ソーダをちびちびとすすりながら二時間近くそこにいた。愛想の良さそうな女の子の二人組がカウンターに座ってギムレットとマルガリータを注文した。早速永沢さんが話しかけに行ったが、二人は男友だちと待ちあわせていた。それでも僕らはしばらく四人で親しく話をしていたのだが、待ちあわせの相手が来ると二人はそちらに行ってしまった。

店を変えようと言って永沢さんは僕をもう一軒のバーにつれていった。少し奥まったところにある小さな店で、大方の客はもうできあがって騒いでいた。奥のテーブルに三人組の女の子がいたので、我々はそこに入って五人で話をした。雰囲気は悪くなかった。みんなけっこう良い気分になっていた。しかし店を変えて少し飲まないかと誘うと、女の子たちは私たちもうそろそろ帰らなくちゃ門限があるんだもの、と言った。三人ともどこかの女子大の寮暮しだったのだ。まったくついてない一日だった。そのあとも店を変えてみたが駄目だった。どういうわけか女の子が寄りついてくるという気配がまるでないのだ。

十一時半になって今日は駄目だなと永沢さんが言った。

「悪かったな、ひっぱりまわしちゃって」と彼は言った。

「かまいませんよ、僕は。永沢さんにもこういう日があるんだというのがわかっただけでも楽しかったですよ」と僕は言った。

「年に一回くらいあるんだ、こういうの」と彼は言った。

正直な話、僕はもうセックスなんてどうだっていいやという気分になっていた。土曜日の新宿の夜の喧噪の中を三時間半もうろうろして、性欲やらアルコールやらのいりまじったわけのわからないエネルギーを眺めているうちに、僕自身の性欲なんてとるに足らない卑小なものであるように思えてきたのだ。

「これからどうする、ワタナベ？」と永沢さんが僕に訊いた。

「オールナイトの映画でも観ますよ。しばらく映画なんて観てないから」

「じゃあ俺はハツミのところに行くよ。いいかな？」

「いけないわけがないでしょう」と僕は笑って言った。

「もしよかったら泊まらせてくれる女の子の一人くらい紹介してやれるけど、どうだ？」

「いや、映画観たいですね、今日は」

「悪かったな。いつか埋めあわせするよ」と彼は言った。そして人混みの中に消えていった。僕はハンバーガー・スタンドに入ってチーズ・バーガーを食べ、熱いコーヒーを飲んで酔いをさましてから近くの二番館で「卒業」を観た。それほど面白い映画とも思えなかったけれど、他にやることもないので、そのままもう一度くりかえしてその映画を観た。そして映画館を出て午前四時前のひやりとした新宿の町を考えごとをしながらあてもなくぶらぶらと歩いた。

歩くのに疲れると僕は終夜営業の喫茶店に入ってコーヒーを飲んで本を読みながら始発の電車を待つことにした。しばらくすると店はやはり同じように始発電車を待つ人々で混みあってきた。ウェイターが僕のところにやってきて、すみませんが相席お願いしますと言った。いいですよ、と僕は言った。どうせ僕は本を読んでいるだけだし、前に誰が座ろうが気にもならなかった。

僕と同席したのは二人の女の子だった。たぶん僕と同じくらいの年だろう。どちらも美人というわけではないが、感じのわるくない女の子たちだった。化粧も服装もごくまともで、朝の五時前に歌舞伎町をうろうろしているようなタイプには見えなかった。きっと何かの事情で終電に乗り遅れるか何かしたのかもしれないなと僕は思った。彼女たちは同席の相手が僕だったことにちょっとほっとしたみたいだった。僕はきちんとした格好をしていたし、夕方に髭も剃っていたし、おまけにトーマス・マンの「魔の山」を一心不乱に読んでいた。

女の子の一人は大柄で、グレーのヨットパーカにホワイト・ジーンズをはき、大きなビニール・レザーの鞄を持ち、貝のかたちの大きなイヤリングを両耳につけていた。もう一人は小柄で眼鏡をかけ、格子柄のシャツの上にブルーのカーディガンを着て、指にはターコイズ・ブルーの指輪をはめていた。小柄な方の女の子はときどき眼鏡をとって指先で目を押さえるのが癖らしかった。

彼女たちはどちらもカフェオレとケーキを注文し、何事かを小声で相談しながら時間をかけてケーキを食べ、コーヒーを飲んだ。大柄の女の子は何回か首をひねり、小柄な女の子は何回か首を横に振った。マービン・ゲイやらビージーズやらの音楽が大きな音でかかっていたので話の内容までは聴きとれなかったけれど、どうやら小柄な女の子が悩むか怒るかして、大柄の子がそれをまあまあとなだめているような具合だった。僕は本を読んだり、彼女たちを観察したりを交互にくりかえしていた。

小柄な女の子がショルダー・バッグを抱えるようにして洗面所に行ってしまうと、大柄な方の女の子が僕に向って、あのすみません、と言った。僕は本を置いて彼女を見た。

「このへんにまだお酒飲めるお店ご存知ありませんか？」と彼女は言った。

「朝の五時すぎにですか？」と僕はびっくりして訊きかえした。

「ええ」

「ねえ、朝の五時二十分っていえば大抵の人は酔いをさまして家に寝に帰る時間ですよ」

「ええ、それはよくわかってはいるんですけれど」と彼女はすごく恥かしそうに言った。「友だちがどうしてもお酒飲みたいっていうんです。いろいろとまあ事情があって」

「家に帰って二人でお酒飲むしかないんじゃないかな」

「でも私、朝の七時半ごろの電車で長野に行っちゃうんです」

「じゃあ自動販売機でお酒買って、そのへんに座って飲むしか手はないみたいですね」

申しわけないが一緒につきあってくれないかと彼女は言った。女の子二人でそんなことできないから、と。僕はこの当時の新宿の町でいろいろと奇妙な体験をしたけれど、朝の五時二十分に知らない女の子に酒を飲もうと誘われたのはこれがはじめてだった。断るのも面倒だったし、まあ暇でもあったから僕は近くの自動販売機で日本酒を何本かとつまみを適当に買い、彼女たちと一緒にそれを抱えて西口の原っぱに行き、そこで即席の宴会のようなものを開いた。

話を聞くと二人は同じ旅行代理店につとめていた。どちらも今年短大を出て勤めはじめたばかりで、仲良しだった。小柄な方の女の子には恋人がいて一年ほど感じよくつきあっていたのだが、最近になって彼が他の女と寝ていることがわかって、それで彼女はひどく落ちこんでいた。それがおおまかな話だった。大柄な方の女の子は今日はお兄さんの結婚式があって昨日の夕方には長野の実家に帰ることになっていたのだが、友だちにつきあって一晩新宿で夜あかしし、日曜日の朝いちばんの特急で戻ることにしたのだ。

「でもさ、どうして彼が他の人と寝てることがわかったの？」と僕は小柄な子に訊いてみた。

小柄な方の女の子は日本酒をちびちびと飲みながら足もとの雑草をむしっていた。「彼の部屋のドアを開けたら、目の前でやってたんだもの、そんなのわかるもわからないもないでしょう」

「いつの話、それ？」

「おとといの夜」

「ふうん」と僕は言った。「ドアは鍵があいてたわけ？」

「そう」

「どうして鍵を閉めなかったんだろう」と僕は言った。

「知らないわよ、そんなこと。知るわけがないでしょう」

「でもそういうの本当にショックだと思わない？　ひどいでしょ？　彼女の気持はどうな

るのよ?」と人のよさそうな大柄の女の子が言った。

「なんとも言えないけど、一度よく話しあってみた方がいいよね。許す許さないの問題になると思うけど、あとは」と僕は言った。

「誰にも私の気持なんかわからないわよ」と小柄な女の子があいかわらずぷちぷちと草をむしりながら吐き捨てるように言った。

カラスの群れが西の方からやってきて小田急デパートの上を越えていった。もう夜はすっかり明けていた。あれこれと三人で話をしているうちに大柄な女の子が電車に乗る時刻が近づいてきたので、僕らは残った酒を西口の地下にいる浮浪者にやり、入場券を買って彼女を見送った。彼女の乗った列車が見えなくなってしまうと、僕と小柄な女の子はどちらから誘うともなくホテルに入った。僕の方も彼女の方もとくにお互いと寝てみたいと思ったわけではないのだが、ただ寝ないことにはおさまりがつかなかったのだ。

ホテルに入ると僕は先に裸になって風呂に入り、風呂につかりながら殆んどやけでビールを飲んだ。女の子もあとから入ってきて、二人で浴槽の中でごろんと横になって黙ってビールを飲んでいた。どれだけ飲んでも酔いもまわらなかったし、眠くもなかった。彼女の肌は白く、つるつるとしていて、脚のかたちがとてもきれいだった。僕が脚のことを賞めると彼女は素っ気ない声でありがとうと言った。

しかしベッドに入ると彼女はまったくの別人のようになった。僕の手の動きにあわせて彼女は敏感に反応し、体をくねらせ、声をあげた。僕が中に入ると彼女は背中にぎゅっと爪を立てて、オルガズムが近づくと十六回も他の男の名前を呼んだ。僕は射精を遅らせるために一所懸命回数を数えていたのだ。そしてそのまま我々は眠った。

十二時半に目を覚ましたとき彼女の姿はなかった。手紙もメッセージもなかった。変な時間に酒を飲んだもので、頭の片方が妙に重くなっているような気がした。僕はシャワーに入って眠気をとり、髭を剃って、裸のまま椅子に座って冷蔵庫のジュースを一本飲んだ。そして昨夜起ったことを順番にひとつひとつ思いだしてみた。どれもガラス板を二、三枚あいだにはさんだみたいに奇妙によそよそしく非現実的に感じられたが、間違いなく僕の身に実際に起った出来事だった。テーブルの上にはビールを飲んだグラスが残っていたし、洗面所には使用済みの歯ブラシがあった。

僕は新宿で簡単な昼食を食べ、それから電話ボックスに入って小林緑に電話をかけてみた。ひょっとしたら彼女は今日もまた一人で電話番をしているのではないかと思ったからだ。しかし十五回コールしても電話には誰も出なかった。二十分後にもう一度電話してみたが結果はやはり同じだった。僕はバスに乗って寮に戻った。入口の郵便受けに僕あての速達封筒が入っていた。直子からの手紙だった。

第五章

「手紙をありがとう」と直子は書いていた。手紙は直子の実家から「ここ」にすぐ転送されてきた。手紙をもらったことは迷惑なんかではないし、正直言ってとても嬉しかった。実は自分の方からあなたにそろそろ手紙を書かなくてはと思っていたところなのだ、とその手紙にはあった。

そこまで読んでから僕は部屋の窓をあけ、上着を脱ぎ、ベッドに腰かけた。近所の鳩小屋からホオホオという鳩の声が聞こえてきた。風がカーテンを揺らせた。僕は直子の送ってきた七枚の便箋を手にしたまま、とりとめのない想いに身を委ねていた。その最初の何行かを読んだだけで、僕のまわりの現実の世界がすうっとその色を失っていくように感じられた。僕は目を閉じ、長い時間をかけて気持をひとつにまとめた。そして深呼吸をしてからそのつづきを読んだ。

「ここに来てもう四ヵ月近くになります」と直子はつづけていた。

「私はその四ヵ月のあいだあなたのことをずいぶん考えていました。そして考えれば考えるほど、私は自分があなたに対して公正ではなかったのではないかと考えるようになってきました。私はあなたに対して、もっときちんとした人間として公正に振舞うべきではなかったのかと思うのです。

でもこういう考え方ってあまりまともじゃないかもしれませんね。どうしてかというと私くらいの年の女の子は『公正』なんていう言葉はまず使わないからです。普通の若い女の子にとっては、物事が公正かどうかなんていうのは根本的にどうでもいいことだからです。ごく普通の女の子は何かが公正かどうかよりは何が美しいかとかどうすれば自分が幸せになれるかとか、そういうことを中心に物を考えるものです。『公正』なんていうのはどう考えても男の人の使う言葉ですね。でも今の私にはこの『公正』という言葉がとてもぴったりとしているように感じられるのです。たぶん何が美しいかとかどうすれば幸せになれるかとかいうのは私にとってはとても面倒でいりくんだ命題なので、つい他の基準にすがりついてしまうわけです。たとえば公正であるかとか、正直であるかとか、普遍的であるかとかね。

しかし何はともあれ、私は自分があなたに対して公正ではなかったと思います。そしてそれでずいぶんあなたをひきずりまわしたり、傷つけたりしたんだろうと思います。でもそのことで、私だって自分自身をひきずりまわして、自分自身を傷つけてきたのです。言いわけするわけでもないし、自己弁護するわけでもないけれど、本当にそうなのです。もし私があなたの中に何かの傷を残したとしたら、それはあなただけの傷ではなくて、私の傷でもあるのです。だからそのことで私を憎んだりしないで下さい。私は不完全な人間です。私はあなたが考えているよりずっと不完全な人間です。だからこそ私はあなたに憎まれたくないのです。あなたに憎まれたりすると私は本当にバラバラになってしまいます。私はあなたのように自分の殻の中にすっと入って何かをやりすごすということができないのです。あなたが本当はどうなのか知らないけれど、私にはなんとなくそう見えちゃうことがあるのです。だから時々あなたのことがすごくうらやましくなるし、あなたを必要以上にひきずりまわすことになったのもあるいはそのせいかもしれません。

こういう物の見方ってあるいは分析的にすぎるのかもしれませんね。そう思いませんか？　ここの治療は決して分析的にすぎるというものではありません。でも私のような立場に置かれて何ヵ月も治療を受けていると、いやでも多かれ少かれ分析的になってしまうものなのです。何かがこうなったのはこういうせいだ、そしてそれはこれを意味し、それ故にこうなのだ、とかね。こういう分析が世界を単純化しようとしているのか細分化しようとしているのか私にはよくわかりません。

しかし何はともあれ、私は一時に比べるとずいぶん回復したように自分でも感じますし、まわりの人々もそれを認めてくれます。こんな風に落ちついて手紙を書けるのも久しぶりのことです。七月にあなたに出した手紙は身をしぼるような思いで書いたのですが（正直言って、何を書いたのか全然思いだせません。ひどい手紙じゃなかったかしら？）今回はすごく落ちついて書いています。きれいな空気、外界から遮断された静かな世界、規則正しい生活、毎日の運動、そういうものがやはり私には必要だったようです。誰かに手紙を書けるというのはいいものですね。誰かに自分の思いを伝えたいと思い、机の前に座ってペンをとり、こうして文章が書けるということは本当に素敵です。もちろん文章にしてみると自分の言いたいことのほんの一部しか表現できないのだけれど、でもそれでもかまいません。誰かに何かを書いてみたいという気持になれるだけで今の私には幸せなのです。そんなわけで、私は今あなたに手紙を書いています。今は夜の七時半で、夕食を済ませ、お風呂にも入り終ったところです。あたりはしんとして、窓の外はまっ暗です。光ひとつ見えません。いつもは星がとてもきれいに見えるのですが今日は曇っていて駄目です。ここにいる人たちはみなとても星にくわしくて、あれが乙女座だとか射手座だとか私に教えてくれます。たぶん日が暮れると何もすることがなくなるので嫌でもくわしくなっちゃうんでしょうね。そしてそれと同じような理由で、ここの人々は鳥や花や虫のこともとてもよく知っています。そういう人たちと話していると、私は自分がいろんなことについていかに無知であったかということを思い知らされますし、そんな風に感じるのはなかなか気持の良いものです。

ここには全部で七十人くらいの人が入って生活しています。その他にスタッフ（お医者、看護婦、事務、その他いろいろ）が二十人ちょっといます。とても広いところですから、これは決して多い数字ではありません。それどころか閑散としていると表現した方が近いかもしれませんね。広々として、自然に充ちていて、人々はみんな穏かに暮しています。あまりにも穏かなのでときどきここが本当のまともな世界なんじゃないかという気がするくらいです。でも、もちろんそうではありません。私たちはある種の前提のもとにここで暮しているから、こういう風にもなれるのです。

私はテニスとバスケットボールをやっています。バスケットボールのチームは患者（というのは嫌な言葉ですが仕方ありませんね）とスタッフが入りまじって構成されています。でもゲームに熱中しているうちに私には誰が患者で誰がスタッフなのかがだんだんわからなくなってきます。これはなんだか変なものです。変な話だけれど、ゲームをしながらまわりを見ていると誰も彼も同じくらい歪んでいるように見えちゃうのです。

ある日私の担当医にそのことを言うと、君の感じていることはある意味では正しいのだと言われました。彼は私たちがここにいるのはその歪みを矯正するためではなく、その歪みに馴れるためなのだといいます。私たちの問題点のひとつはその歪みを認めて受けいれることができないというところにあるのだ、と。人間一人ひとりが歩き方にくせがあるように、感じ方や考え方や物の見方にもくせはあるし、それはなそうと思っても急になおるものではないし、無理になおそうとすると他のところがおかしくなってしまうことになるんだそうです。もちろんこれはすごく単純化した説明だし、そういうのは私たちの抱えている問題のあるひとつの部分にすぎないわけですが、それでも彼の言わんとすることは私にもなんとなくわかります。私たちはたしかに自分の歪みにうまく順応しきれないでいるのかもしれません。だからその歪みがひきおこす現実的な痛みや苦しみをうまく自分の中に位置づけることができなくて、そしてそういうものから遠ざかるためにここに入っているわけです。ここにいる限り私たちは他人を苦しめなくてすむし、他人から苦しめられなくてすみます。何故なら私たちはみんな自分たちが『歪んでいる』ことを知っているからです。そこが外部世界とはまったく違っているところです。外の世界では多くの人は自分の歪みを意識せずに暮しています。でも私たちのこの小さな世界では歪みこそが前提条件なのです。私たちはインディアンが頭にその部族をあらわす羽根をつけるように、歪みを身につけています。そして傷つけあうことのないようにそっと暮しているのです。

運動をする他には、私たちは野菜をつくっています。トマト、なす、キウリ、西瓜、苺、ねぎ、キャベツ、大根、その他いろいろ。大抵のものはつくります。温室も使っています。ここの人たちは野菜づくりにはとてもくわしいし、熱心です。本を読んだり、専門家を招いたり、朝から晩までどんな肥料がいいだとか地質がどうのとか、そんな話ばかりしています。私も野菜づくりは大好きになりました。いろんな果物や野菜が毎日少しずつ大きくなっていく様子を見るのはとても素敵です。あなたは西瓜を育てたことがありますか？　西瓜って、まるで小さな動物みたいな膨み方をするんですね。

私たちは毎日そんなとれたての野菜や果物を食べて暮しています。肉や魚ももちろん出ますけれど、ここにいるとそういうものを食べたいという気持はだんだん少くなってきます。野菜がとにかくみずみずしくておいしいからです。外に出て山菜やきのこの採取をすることもあります。そういうのにも専門家がいて（考えてみれば専門家だらけですね、ここは）、これはいい、これは駄目と教えてくれます。おかげで私はここに来てから三キロも太ってしまいました。ちょうどいい体重というところですね。運動と規則正しいきちんとした食事のせいです。

その他の時間、私たちは本を読んだり、レコードを聴いたり、編みものをしたりしています。ＴＶとかラジオとかはありませんが、そのかわりけっこうしっかりとした図書室もありますし、レコード・ライブラリイもあります。レコード・ライブラリイにはマーラーのシンフォニーの全集からビートルズまで揃っていて、私はいつもここでレコードを借りて、部屋で聴いています。

この施設の問題点は一度ここに入ると外に出るのが億劫になる、あるいは怖くなるということですね。私たちはここの中にいる限り平和で穏かな気持になります。自分たちの歪みに対しても自然な気持で対することができます。自分たちが回復したと感じます。しかし外の世界が果して私たちを同じように受容してくれるものかどうか、私には確信が持てないのです。

担当医は私がそろそろ外部の人と接触を持ち始める時期だと言います。『外部の人』というのはつまり正常な世界の正常な人ということですが、そういわれても、私にはあなたの顔しか思い浮かばないのです。正直に言って、私は両親にはあまり会いたくありません。あの人たちは私のことですごく混乱していて、会って話をしても私はなんだか惨めな気分になるばかりだからです。それに私にはあなたに説明しなくてはならないことがいくつかあるのです。うまく説明できるかどうかはわかりませんが、それはとても大事なことだし、避けて通ることはできない種類のことなのです。

でもこんなことを言ったからといって、私のことを重荷としては感じないで下さい。私は誰かの重荷にだけはなりたくないのです。私は私に対するあなたの好意を感じるし、それを嬉しく思うし、その気持を正直にあなたに伝えているだけです。たぶん今の私はそういう好意をとても必要としているのです。もしあなたにとって、私の書いたことの何かが迷惑に感じられたとしたら謝ります。許して下さい。前にも書いたように、私はあなたが思っているよりは不完全な人間なのです。

ときどきこんな風に思います。もし私とあなたがごく当り前の普通の状況で出会って、お互いに好意を抱きあっていたとしたら、いったいどうなっていたんだろうと。

私がまともで、あなたもまともで（始めからまともですね）、キズキ君がいなかったとしたらどうなっていただろう、と。でもこのもしはあまりにも大きすぎます。少くとも私は公正に正直になろうと努力しています。今の私にはそうすることしかできません。そうすることによって私の気持を少しでもあなたに伝えたいと思うのです。

この施設は普通の病院とは違って、面会は原則的に自由です。前日までに電話連絡をすれば、いつでも会うことができます。食事も一緒にできますし、宿泊の設備もあります。あなたの都合の良いときに一度会いに来て下さい。会えることを楽しみにしています。地図を同封しておきます。長い手紙になってしまってごめんなさい」

僕は最後まで読んでしまうとまた始めから読みかえした。そして下に降りて自動販売機でコーラを買ってきて、それを飲みながらまたもう一度読みかえした。そしてその七枚の便箋を封筒に戻し、机の上に置いた。ピンク色の封筒には女の子にしては少しきちんとしすぎているくらいのきちんとした小さな字で僕の名前と住所が書いてあった。僕は机の前に座ってしばらくその封筒を眺めていた。封筒の裏の住所には「阿美寮」と書いてあった。奇妙な名前だった。僕はその名前について五、六分間考えをめぐらせてから、これはたぶんフランス語のami（友だち）からとったものだろうと想像した。

手紙を机の引きだしにしまってから、僕は服を着がえて外に出た。その手紙の近くにいると十回も二十回も読みかえしてしまいそうな気がしたからだ。僕は以前直子と二人でいつもそうしていたように、日曜日の東京の町をあてもなく一人でぶらぶらと歩いた。彼女の手紙の一行一行を思いだし、それについて僕なりに思いをめぐらしながら、僕は町の通りから通りへとさまよった。そして日が暮れてから寮に戻り、直子のいる「阿美寮」に長距離電話をかけてみた。受付の女性が出て、僕の用件を聞いた。僕は直子の名前を言い、できることなら明日の昼すぎに面会に行きたいのだが可能だろうかと訊ねてみた。彼女は僕の名前を聞き、三十分あとでもう一度電話をかけてほしいと言った。

僕が食事のあとで電話をすると同じ女性が出て面会は可能ですのでどうぞお越し下さいと言った。僕は礼を言って電話を切り、ナップザックに着がえと洗面用具をつめた。そして眠くなるまでブランディーを飲みながら「魔の山」のつづきを読んだ。それでもやっと眠ることができたのは午前一時を過ぎてからだった。

第六章

月曜日の朝の七時に目を覚ますと僕は急いで顔を洗って髭を剃り、朝食は食べずにすぐに寮長の部屋に行き、二日ほど山のぼりしてきますのでよろしくと言った。僕はそれまでにも暇になると何度も小旅行をしていたから、寮長もああと言っただけだった。僕は混んだ通勤電車に乗って東京駅に行き、京都までの新幹線自由席の切符を買い、いちばん早い「ひかり」に文字どおりとび乗り、熱いコーヒーとサンドイッチを朝食がわりに食べた。そして一時間ほどうとうとと眠った。

京都駅についたのは十一時少し前だった。僕は直子の指示に従って市バスで三条まで出て、そこの近くにある私鉄バスのターミナルに行って十六番のバスはどこの乗り場から何時に出るのかと訊いた。十一時三十五分にいちばん向うの停留所から出る、目的地まではだいたい一時間少しかかるということだった。僕は切符売り場で切符を買い、それから近所の書店に入って地図を買い、待合室のベンチに座って「阿美寮」の正確な位置を調べてみた。地図で見ると「阿美寮」はおそろしく山深いところにあった。バスはいくつも山を越えて北上し、これ以上はもう進めないというあたりまで行って、そこから市内に引きかえしていた。僕の降りる停留所は終点のほんの少し手前にあった。停留所から登山道があって、二十分ほど歩けば「阿美寮」につくと直子は書いていた。ここまで山奥ならそれは静かだろうと僕は思った。

二十人ばかりの客を乗せてしまうとバスはすぐに出発し、鴨川に沿って京都市内を北へと向った。北に進めば進むほど町なみはさびしくなり、畑や空き地が目につくようになった。黒い瓦屋根やビニール・ハウスが初秋の日を浴びて眩しく光っていた。やがてバスは山の中に入った。曲りくねった道で、運転手は休む暇もなく右に左にとハンドルをまわしつづけ、僕は少し気分がわるくなった。朝飲んだコーヒーの匂いが胃の中にまだ残っていた。そのうちにカーブもだんだん少くなってやっとほっと一息ついた頃に、バスは突然ひやりとした杉林の中に入った。杉はまるで原生林のように高くそびえたち、日の光をさえぎり、うす暗い影で万物を覆っていた。開いた窓から入ってくる風が急に冷たくなり、その湿気は肌に痛いばかりだった。谷川に沿ってその杉林の中をずいぶん長い時間進み、世

界中が永遠に
れてしまったんじゃないかという気分になり始めたあたりで
我々はまわりを山に囲まれた盆地のようなところに出た。盆地には青々
やっ
が見わたす限り広がり、道路に沿ってきれいな川が流れていた。遠くの方で白い煙が一本細くたちのぼり、あちこちの物干には洗濯物がかかり、犬が何匹か吠えていた。家の前には薪が軒下までつみあげられ、その上で猫が昼寝をしていた。道路沿いにしばらくそんな人家がつづいていたが人の姿はまったく見あたらなかった。

そういう風景が何度もくりかえされた。バスは杉林に入り、杉林を抜けて集落に入り、集落を抜けてまた杉林に入った。集落にバスが停まるたびに何人かの客が降りた。乗りこんでくる客は一人もいなかった。市内を出発して四十分ほどで眺望の開けた峠に出たが、運転手はそこでバスを停め、五、六分待ちあわせするので降りたい人は降りてかまわないと乗客に告げた。客は僕を含めてもう四人しか残っていなかったがみんなバスを降りて体をのばしたり、煙草を吸ったり、眼下に広がる京都の町並を眺めたりした。運転手は立小便をした。ひもでしばった大きな段ボール箱を車内に持ちこんでいた五十前後のよく日焼けした男が、山に上るのかと僕に質問した。面倒臭いので、そうだと僕は返事した。

やがて反対側からバスが上ってきて我々のバスのわきに停まり、運転手が降りてきた。二人の運転手は少し話をしてからそれぞれのバスに乗りこんだ。乗客も席に戻った。そし

て二台のバスはそれぞれの方向に向ってまた進み始めた。どうして我々のバスが峠の上でもう一台のバスが来るのを待っていたのかという理由はすぐに明らかになった。山を少し下ったあたりから道幅が急に狭くなっていて二台の大型バスがすれちがうのはまったく不可能だったからだ。バスは何台かのライトバンや乗用車とすれちがったが、そのたびにどちらかがバックして、カーブのふくらみにぴったりと身を寄せなくてはならなかった。

谷川に沿って並ぶ集落も前に比べるとずっと小さくなり、耕作してある平地も狭くなった。山が険しくなり、すぐ近くまで迫っていた。犬の多いところだけがどの集落も同じで、バスが来ると犬たちは競いあうように吠えた。

僕が降りた停留所のまわりには何もなかった。人家もなく、畑もなかった。停留所の標識がぽつんと立っていて、小さな川が流れていて、登山ルートの入口があるだけだった。僕はナップザックを肩にかけて、谷川に沿って登山ルートを上りはじめた。道の左手には川が流れ、右手には雑木林がつづいていた。そんな緩やかな上り道を十五分ばかり進むと大　車がやっと一台通れそうな枝道があり、その入口には「阿美寮・関係者以外の立ち　ます」という看板が立っていた。

雑木林の　車のタイヤのあとがついていた。まわりの林の中で時折ばたばたという鳥の　えた。部分的に拡大されたように妙に鮮明な音だった。一度だけ銃声のようなボオンという音が遠くの方で聞こえたが、こちらは何枚かフィルターをとおしたみたいに小さくくぐもった音だった。

雑木林を抜けると白い石塀が見えた。石塀といっても僕の背丈くらいの高さで上に柵や網がついているわけではなく越えようと思えばいくらでも越えられる代物だった。黒い門扉は鉄製で頑丈そうだったが、これは開けっ放しになっていて、門衛小屋には門番の姿は見えなかった。門のわきには「阿美寮・関係者以外の立ち入りはお断りします」というさっきと同じ看板がかかっていた。門衛小屋にはつい先刻まで人がいたことを示す形跡が残っていた。灰皿には三本吸殻があり、湯のみには飲みかけの茶が残り、棚にはトランジスタ・ラジオがあり、壁では時計がコツコツという乾いた音を立てて時を刻んでいた。僕はそこで門衛の戻ってくるのを待ってみたが、戻ってきそうな気配がまるでないので、近くにあるベルのようなものを二、三度押してみた。門の内側のすぐのところは駐車場になっていて、そこにはミニ・バスと４ＷＤのランド・クルーザーとダークブルーのボルボがとまっていた。三十台くらいは車が停められそうだったが、停まっているのはその三台きりだった。

二、三分すると紺の制服を着た門番が黄色い自転車に乗って林の中の道をやってきた。六十歳くらいの背の高い額が禿げあがった男だった。彼は黄色い自転車を小屋の壁にもたせかけ、僕に向って、「いや、どうもすみませんでしたな」とたいしてすまなくもなさそうな口調で言った。自転車の泥よけには白いペンキで32と書いてあった。僕が名前を言うと彼はどこかに電話をかけ、僕の名前を二度くりかえして言った。相手が何かを言い、彼ははい、はあ、わかりましたと答え、電話を切った。

「本館に行ってですな、石田先生と言って下さい」と門番は言った。「その林の中の道を行くとロータリーに出ますから左から二本目の——いいですか、左から二本目の道を行って下さい。すると古い建物がありますので、そこを右に折れてまたひとつ林を抜けるとそこに鉄筋のビルがありまして、これが本館です。ずっと立札が出とるからわかると思います」

言われたとおりにロータリーの左から二本目の道を進んでいくと、つきあたりにはいかにも一昔前の別荘とわかる趣きのある古い建物があった。庭には形の良い石やら、灯籠なんかが配され、植木はよく手入れされていた。この場所はもともと誰かの別荘地であるらしかった。そこを右に折れて林を抜けると目の前に鉄筋の三階建ての建物が見えた。三階建てとは言っても地面が掘りおこされたようにくぼんでいるところに建っているので、とくに威圧的な感じは受けない。建物のデザインはシンプルで、いかにも清潔そうに見えた。

玄関は二階にあった。階段を何段か上り大きなガラス戸を開けて中に入ると、受付に赤いワンピースを着た若い女性が座っていた。僕は自分の名前を告げ、石田先生に会うように言われたのだと言った。彼女はにっこりと笑ってロビーにある茶色のソファーを指さし、そこに座って待ってて下さいと小さな声で言った。そして電話のダイヤルをまわした。僕は肩からナップザックを下ろしてそのふかふかとしたソファーに座り、まわりを眺めた。清潔で感じの良いロビーだった。観葉植物の鉢がいくつかあり、壁には趣味の良い抽象画がかかり、床はぴかぴかに磨きあげられていた。僕は待っているあいだずっとその床にうつった自分の靴を眺めていた。

途中で一度受付の女性が「もう少しで見えますから」と僕に声をかけた。僕は肯いた。まったくなんて静かなところなんだろうと僕は思った。あたりには何の物音もない。なんだかまるで午睡《シエスタ》の時間みたいだなと僕は思った。人も動物も虫も草木も、何もかもがぐっすりと眠りこんでしまったみたいに静かな午後だった。

しかしほどなくゴム底靴のやわらかな足音が聴こえ、ひどく硬そうな短かい髪をした中年の女性が姿をあらわし、さっさと僕のとなりに座って脚を組んだ。そして僕と握手した。握手しながら、僕の手を表向けたり裏向けたりして観察した。

「あなた楽器って少くともこの何年かいじったことないでしょ？」と彼女はまず最初に言

った。

「ええ」と僕はびっくりして答えた。

「手を見るとわかるのよ」と彼女は笑って言った。

とても不思議な感じのする女性だった。顔にはずいぶんたくさんしわがあって、それがまず目につくのだけれど、しかしそのせいで老けて見えるというわけではなく、かえって逆に年齢を超越した若々しさのようなものがしわによって強調されていた。そのしわはまるで生まれたときからそこにあったんだといわんばかりに彼女の顔によく馴染んでいた。彼女が笑うとしわも一緒に笑い、彼女がむずかしい顔をするとしわも一緒にむずかしい顔をした。笑いもむずかしい顔もしない時はしわはどことなく皮肉っぽくそして温かく顔いっぱいにちらばっていた。年齢は三十代後半で、感じの良いというだけではなく、何かしら心魅かれるところのある女性だった。僕は一目で彼女に好感を持った。

髪はひどく雑然とカットされて、ところどころで立ちあがってとびだし、前髪も不揃いに額に落ちかかっていたが、その髪型は彼女にとてもよく似合っていた。白いTシャツの上にブルーのワークシャツを着て、クリーム色のたっぷりとした綿のズボンにテニス・シューズをはいていた。ひょろりとやせて乳房というものが殆んどなく、しょっちゅう皮肉っぽく唇が片方に曲がり、目のわきのしわが細かく動いた。いくらか世をすねたところのある親切で腕の良い女大工みたいに見えた。

彼女はちょっと顎を引いて、唇を曲げたまましばらく僕を上から下まで眺めまわしていた。今にもポケットから巻尺をとりだして体の各部のサイズを測りはじめるんじゃないかという気がするくらいだった。

「楽器何かできる？」

「いや、できませんね」と僕は答えた。

「それは残念ねえ、何かできると楽しかったのに」

そうですね、と僕は言った。どうして楽器の話ばかり出てくるのかさっぱりわけがわからなかった。

彼女は胸のポケットからセブンスターをとりだして唇にくわえ、ライターで火をつけうまそうに煙を吹きだした。

「えーとねえ、ワタナベ君だったわね、あなたが直子に会う前に私の方からここの説明をしておいた方がいいと思ったのよ。だからまず私と二人でちょっとこうしてお話しすることにしたわけ。ここは他のところとはちょっと変ってるから、何の予備知識もないといささか面喰うことになると思うし。ねえ、あなたここのことまだよく知らないでしょ？」

「ええ、殆んど何も」

「じゃ、まあ最初から説明すると……」と言いかけてから彼女は何かに気がついたというようにパチッと指を鳴らした。「ねえ、あなた何か昼ごはん食べた? おなかすいてない?」

「すいてますね」と僕は言った。

「じゃあいらっしゃいよ。食堂で一緒にごはん食べながら話しましょう。食事の時間は終っちゃったけど、今行けばまだ何か食べられると思うわ」

彼女は僕の先に立ってすたすた廊下を歩き、階段を下りて一階にある食堂まで行った。食堂は二百人ぶんくらいの席があったが今使われているのは半分だけで、あとの半分はついたてで仕切られていた。なんだかシーズン・オフのリゾート・ホテルにいるみたいだった。昼食メニューはヌードルの入ったポテト・シチューと、野菜サラダとオレンジ・ジュースとパンだった。直子が手紙に書いていたように野菜ははっとするくらいおいしかった。僕は皿の中のものを残らずきれいにたいらげた。

「あなた本当においしそうにごはん食べるのねえ」と彼女は感心したように言った。

「本当に美味いですよ。それに朝からろくに食べてないし」

「よかったら私のぶん食べていいわよ、これ。私もうおなかいっぱいだから。食べる?」

「要らないのなら食べます」と僕は言った。

「私、胃が小さいから少ししか入らないの。だからごはんの足りないぶんは煙草吸って埋めあわせてんの」彼女はそう言ってまたセブンスターをくわえて火をつけた。「そうだ、私のことレイコさんって呼んでね。みんなそう呼んでるから」

僕が少ししか手をつけていない彼女のポテト・シチューを食べパンをかじっている姿をレイコさんは物珍しそうに眺めていた。

「あなたは直子の担当のお医者さんなんですか？」と僕は彼女に訊いてみた。

「私が医者？」と彼女はびっくりしたように顔をぎゅっとしかめて言った。「なんで私が医者なのよ？」

「だって石田先生に会えって言われてきたから」

「ああ、それね。うん、私ね、ここで音楽の先生してるのよ。だから私のこと先生って呼ぶ人もいるの。でも本当は私も患者なの。でも七年もここにいてみんなに音楽教えたり事務手伝ったりしてるから、患者だかスタッフだかわかんなくなっちゃってるわね、もう。直子、私のことあなたに教えなかった？」

僕は首を振った。

「ふうん」とレイコさんは言った。「ま、とにかく、直子と私は同じ部屋で暮してるの。つまりルームメイトよね。あの子と一緒に暮すの面白いわよ。いろんな話して。あなたの話もよくするし」

「僕のどんな話するんだろう？」と僕は訊いてみた。

「そうだそうだ、その前にここの説明をしとかなきゃ」とレイコさんは僕の質問を頭から無視して言った。「まず最初にあなたに理解してほしいのはここがいわゆる一般的な『病院』じゃないってことなの。てっとりばやく言えば、ここは治療をするところではなく療養をするところなの。もちろん医者は何人かいて毎日一時間くらいはセッションをするけれど、それは体温を測るみたいに状況をチェックするだけであって、他の病院がやっているようないわゆる積極的治療を行うということではないの。だからここには鉄格子もないし、門だっていつも開いてるわけ。人々は自発的にここに入って、自発的にここから出ていくの。そしてここに入ることができるのは、そういう療養に向いた人達だけなの。誰でも入れるというんじゃなくて、専門的な治療を必要とする人は、そのケースに応じて専門的な病院に行くことになるの。そこまではわかる？」

「なんとかわかります。でも、その療養というのは具体的にはどういうことなんでしょう？」

レイコさんは煙草の煙を吹きだし、オレンジ・ジュースの残りを飲んだ。「ここの生活そのものが療養なのよ。規則正しい生活、運動、外界からの隔離、静けさ、おいしい空気。私たち畑を持ってて殆ど自給自足で暮してるし、TVもないし、ラジオもないし。今流行ってるコミューンみたいなもんよね。もっともここに入るのには結構高いお金かかるからそのへんはコミューンとは違うけど」

「そんなに高いんですか？」

「馬鹿高くはないけど、安くはないわね。だってすごい設備でしょ？　場所も広いし、患者の数は少くてスタッフは多いし、私の場合はもうずっと長くいるし、半分スタッフみたいなものだから入院費は実質的には免除されてるから、まあそれはいいんだけど。ねえ、コーヒー飲まない？」

飲みたいと僕は言った。彼女は煙草を消して席を立ち、カウンターのコーヒー・ウォーマーからふたつのカップにコーヒーを注いで運んできてくれた。彼女は砂糖を入れてスプーンでかきまわし、顔をしかめてそれを飲んだ。

「この療養所はね、営利企業じゃないのよ。だからまだそれほど高くない入院費でやっていけるの。この土地もある人が全部寄附したのよ。法人を作ってね。昔はこのへん一帯はその人の別荘だったの。二十年くらい前までは。古い屋敷見たでしょ？」

見た、と僕は言った。

「昔は建物もあそこしかなくて、あそこに患者をあつめてグループ療養してたの。つまりどうしてそういうこと始めたかというとね、その人の息子さんがやはり精神病の傾向があって、ある専門医がその人にグループ療養を勧めたわけ。人里はなれたところでみんなで助けあいながら肉体労働をして暮し、そこに医者が加わってアドバイスし、状況をチェックすることによってある種の病いを治癒することが可能だというのがその医師の理論だったの。そういう風にしてここは始まったのよ。それがだんだん大きくなって、法人になって、農場も広くなって、本館も五年前にできて」

「治療の効果はあったわけですね」

「ええ、もちろん万病に効くってわけでもないし、よくならない人も沢山いるわよ。でも他では駄目だった人がずいぶんたくさんここでよくなって回復して出て行ったのよ。ここのいちばん良いところはね、みんなが助けあうことなの。みんな自分が不完全だということを知っているから、お互いを助けあおうとするの。他のところはそうじゃないのよ、残念ながら。他のところでは医者はあくまで医者で、患者はあくまで患者なの。患者は医者に助けを請い、医者は患者を助けてあげるの。でもここでは私たちは助けあうのよ。私たちはお互いの鏡なの。そしてお医者は私たちの仲間なの。そばで私たちを見ていて何かが必要だなと思うと彼らはさっとやってきて私たちを助けてくれるけれど、私たちもある場合には彼らを助けるの。というのはある場合には私たちの方が彼らより優れているからよ。たとえば私はあるお医者にピアノを教えてるし、一人の患者は看護婦にフランス語を教えてるし、まあそういうことよね。私たちのような病気にかかっている人には専門的な才能にめぐまれた人がけっこう多いのよ。だからここでは私たちはみんな平等なの。患者もスタッフも、そしてあなたもよ。あなただってここにいる間は私達の一員なんだから、私はあなたを助けるし、あなたも私を助けるの」レイコさんは顔中のしわをやさしく曲げて笑った。「あなたは直子を助け、直子はあなたを助けるの」

「僕はどうすればいいんですか、具体的に？」

「まず第一に相手を助けたいと思うこと。そして自分も誰かに助けてもらわなくてはならないのだと思うこと。第二に正直になること。嘘をついたり、物事をとり繕ったり、都合のわるいことを胡麻化したりしないこと。それだけでいいのよ」

「努力します」と僕は言った。「でもレイコさんはどうして七年もここにいるんですか。僕はずっと話していてあなたに何か変ったところがあるとは思えないんですが」

「昼間はね」と彼女は暗い顔をして言った。「でも夜になると駄目なの。夜になると私、よだれ垂らして床中転げまわるの」

「本当に？」と僕は訊いた。

「嘘よ。そんなことするわけないでしょ」と彼女はあきれたように首を振りながら言った。「私は回復してるわよ、今のところは。ただ私はここに残っていろんな人の回復を手伝ってるのがけっこう好きなのよ。音楽を教えたり、野菜作ったりしてね。私ここ好きだもの。みんな友だちみたいなものだし。それに比べて外の世界に何があるの？　私は今三十八でもうすぐ四十よ。直子とは違うのよ。私がここを出てったって待っててくれる人もいないし、受け入れてくれる家庭もないし、たいした仕事もないし、殆んど友だちもいないし。それに私ここにもう七年も入ってるのよ。世の中のことなんてもう何もわかんないわよ。そりゃ時々図書室で新聞は読んでるわよ。でも私、この七年間このへんから一歩も外に出たことないのよ。今更出ていったって、どうしていいかなんてわかんないわよ」

「でも新しい世界が広がるかもしれませんよ」と僕は言った。「ためしてみる価値はあるでしょう」

「そうね、そうかもしれないわね」と言って彼女は手の中でしばらくライターをくるくるとまわしていた。「でもね、ワタナベ君、私にも私のそれなりの事情があるのよ。よかったら今度ゆっくり話してあげるけど」

僕は肯いた。

「それで直子は良くなっているんですか？」

「そうね、私たちはそう考えてるわ。最初のうちはかなり混乱していたし、私たちもどうなるのかなとちょっと心配していたんだけれど、今は落ちついているし、しゃべり方もずいぶんましになってきたし、自分の言いたいことも表現できるようになってきたし……まあ良い方に向っていることはたしかね。でもね、あの子はもっと早く治療を受けるべきだったのよ。彼女の場合、そのキズキ君っていうボーイ・フレンドが死んだ時点から既に症状が出始めていたのよ。そしてそのことは家族もわかっていたはずだし彼女自身にもわかっていたはずなのよ。家庭的な背景もあるし……」

「家庭的な背景？」と僕は驚いて訊きかえした。

「あら、あなたそれ知らなかったんだっけ？」とレイコさんの方が余計に驚いて言った。

僕は黙って首を振った。

「じゃあそれは直子から直接聞きなさい。その方が良いから。あの子もあなたにはいろんなこと正直に話そうという気になってるし」レイコさんはまたスプーンでコーヒーをかきまわし、ひとくち飲んだ。「それからこれは規則で決ってることだから最初に言っておいた方が良いと思うんだけれど、あなたと直子が二人っきりになることは禁じられているの。これはルールなの。部外者が面会の相手と二人っきりになることはできないの。だから常にそこにはオブザーバーが──現実的には私になるわけだけど──つきそってなきゃいけないわけ。気の毒だとは思うけれど我慢してもらうしかないわね。いいかしら？」

「いいですよ」と僕は笑って言った。

「でも遠慮しないで二人で何話してもいいわよ、私がとなりにいることは気にしないで。私はあなたと直子の間のことはだいたい全部知ってるもの」

「全部？」

「だいたい全部よ」と彼女は言った。「だって私たちグループ・セッションやるのよ。だから私たち大抵のこと知ってるわよ。それに私と直子は二人で何もかも話しあってるもの。ここにはそんなに沢山秘密ってないのよ」

僕はコーヒーを飲みながらレイコさんの顔を見た。「正直言って僕にはよくわからないんです。東京にいるときに僕が直子に対してやったことが本当に正しかったことなのかどうか。それについてずっと考えてきたんだけれど、今でもまだわからないんです」

「それは私にもわからないわよ」とレイコさんは言った。「直子にもわからないしね。それはあなたたち二人がよく話しあってこれから決めることなのよ。そうでしょ？　たとえ何が起ったにせよ、それを良い方向に進めていくことはできるわよ。お互いを理解しあえればね。その出来事が正しかったかどうかというのはそのあとでまた考えればいいことなんじゃないかしら」

僕は肯いた。

「私たちは三人で助けあえるんじゃないかと思うの。あなたと直子と私とで。お互いに正直になって、お互いを助けたいとさえ思えばね。三人でそういうのやるのって、時によってはすごく効果があるのよ。あなたはいつまでここにいられるの？」

「明後日《あさって》の夕方までに東京に戻りたいんです。アルバイトに行かなくちゃいけないし、木曜日にはドイツ語のテストがあるから」

「いいわよ、じゃあ私たちの部屋に泊りなさいよ。そうすればお金もかからないし、時間を気にしないでゆっくり話もできるし」

「私たちって誰のことですか？」

「私と直子の部屋よ、もちろん」とレイコさんは言った。「部屋もわかれているし、ソファー・ベッドがひとつあるからちゃんと寝られるわよ、心配しなくても」

「でもそういうのってかまわないんですか？　つまり男の訪問客が女性の部屋に泊るとか？」

「だってまさかあなた夜中の一時に私たちの寝室に入ってきてかわりばんこにレイプしたりするわけじゃないでしょ？」

「もちろんしませんよ、そんなこと」

「だったら何も問題ないじゃない。私たちのところに泊ってゆっくりといろんな話をしましょう。その方がいいわよ。その方がお互い気心もよくわかるし、私のギターも聴かせてあげられるし。なかなか上手いのよ」

「でも本当に迷惑じゃないんですか？」

レイコさんは三本目のセブンスターを口にくわえ、口の端をきゅっと曲げてから火をつけた。「私たちそのことについては二人でよく話しあったのよ。そして二人であなたを招待しているのよ、個人的に。そういうのって礼儀正しく受けた方がいいんじゃないかしら？」

「もちろん喜んで」と僕は言った。

レイコさんは目の端のしわを深めてしばらく僕の顔を眺めた。「あなたって何かこう不思議なしゃべり方するわねえ」と彼女は言った。「あの『ライ麦畑』の男の子の真似してるわけじゃないわよね」

「まさか」と僕は言って笑った。

レイコさんも煙草をくわえたまま笑った。「でもあなたは素直な人よね。私、それ見てればわかるわ。私はここに七年いていろんな人が行ったり来たりするの見てたからわかるのよ。うまく心を開ける人と開けない人の違いがね。あなたは開ける人よ。正確に言えば、開こうと思えば開ける人よね」

「開くとどうなるんですか？」

レイコさんは煙草をくわえたまま楽しそうにテーブルの上で手をあわせた。「回復するのよ」と彼女は言った。煙草の灰がテーブルの上に落ちたが気にもしなかった。

我々は本部の建物を出て小さな丘を越え、プールとテニス・コートとバスケットボール・コートのそばを通りすぎた。テニス・コートでは男が二人でテニスの練習をしていた。やせた中年の男と太った若い男で、二人とも腕は悪くなかったが、それは僕の目にはテニスとはまったく異った別のゲームのように思えた。ゲームをしているというよりはボールの弾性に興味があってそれを研究しているところといった風に見えるのだ。彼らは妙に考えこみながら熱心にボールのやりとりをしていた。そしてどちらもぐっしょりと汗をかいていた。手前にいた若い男がレイコさんの姿を見るとゲームを中断してやってきて、にこにこと笑いながら二言三言言葉をかわした。テニス・コートのわきでは大型の芝刈り機を持った男が無表情に芝を刈っていた。

先に進むと林があり、林の中には洋風のこぢんまりとした住宅が距離をとって十五か二十ちらばって建っていた。大抵の家の前には門番が乗っていたのと同じ黄色い自転車が置いてあった。ここにはスタッフの家族が住んでるのよ、とレイコさんが教えてくれた。

「町に出なくても必要なものは何でもここで揃うのよ」とレイコさんは歩きながら僕に説明した。「食料品はさっきも言ったように殆んど自給自足でしょ。養鶏場もあるから玉子も手に入るし。本もレコードも運動設備もあるし、小さなスーパー・マーケットみたいなのもあるし、毎週理容師もかよってくるし。週末には映画だって上映するのよ。町に出るスタッフの人にとくべつな買物は頼めるし、洋服なんかはカタログ注文できるシステムがあるし、まず不便はないわね」

「町に出ることはできないんですか?」と僕は質問した。

「それは駄目よ。もちろんたとえば歯医者に行かなきゃならないとか、そういう特殊なことがあればそれは別だけれど、原則的にはそれは許可されていないの。ここを出て行くことは完全にその人の自由だけれど、一度出ていくともうここには戻れないの。橋を焼くのと同じよ。二、三日町に出てまたここに戻ってということはできないの。だってそうでしょう? そんなことしたら、出たり入ったりする人ばかりになっちゃうもの」

林を抜けると我々はなだらかな斜面に出た。斜面には奇妙な雰囲気のある木造の二階建て住宅が不規則に並んでいた。どこがどう奇妙なのかと言われてもうまく説明できないのだが、最初にまず感じるのはこれらの建物はどことなく奇妙だということだった。それは我々が非現実を心地良く描こうとした絵からしばしば感じとる情感に似ていた。ウォルト・ディズニーがムンクの絵をもとに漫画映画を作ったらあるいはこんな風になるのかもしれないなと僕はふと思った。建物はどれもまったく同じかたちをしていて、同じ色に塗られていた。かたちはほぼ立方体に近く、左右が対称で入口が広く、窓がたくさんついていた。その建物のあいだをまるで自動車教習所のコースみたいにくねくねと曲った道が通っていた。どの建物の前にも草花が植えられ、よく手入れされていた。人影はなく、どの窓もカーテンが引かれていた。

「ここはC地区と呼ばれているところで、ここには女の人たちが住んでいるの。つまり私たちよね。こういう建物が十棟あって、一棟が四つに区切られて、一区切りに二人住むようになってるの。だから全部で八十人は住めるわけよね。今のところ三十二人しか住んでないけど」

「とても静かですね」と僕は言った。

「今の時間は誰もいないのよ」とレイコさんは言った。「私はとくべつ扱いだから今こうして自由にしてるけれど、普通の人はみんなそれぞれのカリキュラムに従って行動してるの。運動している人もいるし、庭の手入れしている人もいるし、グループ療法している人もいるし、外に出て山菜を集めている人たちもいるし。そういうのは自分で決めてカリキュラムを作るわけ。直子は今何してたっけ？　壁紙の貼りかえとかペンキの塗りかえとかそういうのやってるんじゃなかったかしらね。忘れちゃったけど。そういうのがだいたい五時くらいまでいくつかあるのよ」

彼女は〈C—7〉という番号のある棟の中に入り、つきあたりの階段を上って右側のドアを開けた。ドアには鍵がかかっていなかった。レイコさんは僕に家の中を案内して見せてくれた。居間とベッドルームとキッチンとバスルームの四室から成ったシンプルで感じの良い住居で、余分な飾りつけもなく、場ちがいな家具もなく、それでいて素っ気ないという感じはしなかった。とくに何がどうというのではないのだが、部屋の中にいるとレイコさんを前にしている時と同じように、体の力を抜いてくつろぐことができた。居間にはソファーがひとつとテーブルがあり、揺り椅子があった。キッチンには食事用のテーブルがあった。どちらのテーブルの上にも大きな灰皿が置いてあった。ベッドルームにはベッドがふたつと机がふたつとクローゼットがあった。ベッドの枕もとには小さなテーブルと読書灯があり、文庫本が伏せたまま置いてあった。キッチンには小型の電気のレンジと冷蔵庫がセットになったものが置いてあって、簡単な料理なら作れるようになっていた。

「お風呂はなくてシャワーだけだけどまあ立派なもんでしょ？」とレイコさんは言った。「お風呂と洗濯設備は共同なの」

「十分すぎるくらい立派ですよ。僕の住んでる寮なんて天井と窓しかないもの」

「あなたはここの冬を知らないからそう言うのよ」とレイコさんは僕の背中を叩いてソファーに座らせ、自分もそのとなりに座った。「長くて辛い冬なのよ、ここの冬は。どこを見まわしても雪、雪、雪でね、じっとりと湿って体の芯まで冷えちゃうの。私たち冬になると毎日毎日雪かきして暮すのよ。そういう季節にはね、私たち部屋を暖かくして音楽聴いたりお話したり編みものしたりして過すわけ。だからこれくらいのスペースがないと息がつまってうまくやっていけないのよ。あなたも冬にここにくればそれよくわかるわよ」

レイコさんは長い冬のことを思いだすかのように深いため息をつき、膝の上で手をあわせた。

「これを倒してベッド作ってあげるわよ」と彼女は二人の座っているソファーをぽんぽんと叩いた。「私たち寝室で寝るから、あなたここで寝なさい。それでいいでしょ？」

「僕の方はべつに構いませんよ」

「じゃ、それで決まりね」とレイコさんは言った。「私たちたぶん五時頃にここに戻ってくると思うの。それまで私にも直子にもやることがあるから、あなた一人でここで待っててほしいんだけれど、いいかしら？」

「いいですよ、ドイツ語の勉強してますから」

レイコさんが出ていってしまうと僕はソファーに寝転んで目を閉じた。そして静けさの中に何ということもなくしばらく身を沈めているうちに、ふとキズキと二人でバイクに乗って遠出したときのことを思いだした。そういえばあれもたしか秋だったなあと僕は思った。何年前の秋だっけ？　四年前だ。僕はキズキの革ジャンパーの匂いとあのやたら音のうるさいヤマハの一二五ccの赤いバイクのことを思いだした。我々はずっと遠くの海岸まででかけて、夕方にくたくたになって戻ってきた。別に何かとくべつな出来事があったわけではないのだけれど、僕はその遠出のことをよく覚えていた。秋の風が耳もとで鋭くうなり、キズキのジャンパーを両手でしっかりとつかんだまま空を見上げると、まるで自分の体が宇宙に吹きとばされそうな気がしたものだった。

長いあいだ僕は同じ姿勢でソファーに身を横たえて、その当時のことを次から次へと思いだしていた。どうしてかはわからないけれど、この部屋の中で横になっていると、これまであまり思いだしたことのない昔の出来事や情景が次々に頭に浮かんできた。あるものは楽しく、あるものは少し哀しかった。

どれくらいの時間そんな風にしていたのだろう。僕はそんな予想もしなかった記憶の奔流（それは本当に泉のように岩のすきまからこんこんと湧きだしていたのだ）にひたりきっていて、直子がそっとドアを開けて部屋に入ってきたことに気づきもしなかったくらいだった。ふと見るとそこに直子がいたのだ。僕は顔をあげ、しばらく直子の目をじっと見ていた。彼女はソファーの手すりに腰を下ろして、僕を見ていた。最初のうち僕はその姿を僕自身の記憶がつむぎあげたイメージなのではないかと思った。でもそれは本物の直子だった。

「寝てたの？」と彼女はとても小さな声で僕に訊いた。

「いや、考えごとしてただけだよ」と僕は言った。そして体を起こした。「元気？」

「ええ、元気よ」と直子は微笑んで言った。彼女の微笑みは淡い色あいの遠くの情景のように見えた。「あまり時間がないの。本当はここに来ちゃいけないんだけれど、ちょっとした時間みつけて来たの。だからすぐに戻らなくちゃいけないのよ。ねえ、私ひどい髪してるでしょ？」

「そんなことないよ。とても可愛いよ」と僕は言った。彼女はまるで小学生の女の子のようなさっぱりとした髪型をして、その片方を昔と同じようにきちんとピンでとめていた。その髪型は本当によく直子に似合って馴染んでいた。彼女は中世の木版画によく出てくる美しい少女のように見えた。

「面倒だからレイコさんに刈ってもらってるのよ。本当にそう思う？　可愛いって？」

「本当にそう思うよ」

「でもうちのお母さんはひどいって言ってたわよ」と直子は言った。そして髪どめを外し、髪の毛を下ろし、指で何度かすいてからまたとめた。蝶のかたちをした髪どめだった。

「私、三人で一緒に会う前にどうしてもあなたと二人だけで会いたかったの。とくに何かを話すというのではなくても、あなたの顔を見てあなたに馴れておきたかったの。そうしないと私うまく馴染めないの。私って不器用だから」

「少しは馴れた?」

「少しね」と彼女は言って、また髪どめに手をやった。「でももう時間がないの。私、行かなくちゃ」

僕は肯いた。

「ワタナベ君、ここに来てくれてありがとう。私すごく嬉しいのよ。でもね、もしここにいることが負担になるようだったら遠慮せずにそう言ってほしいの。ここはちょっと特殊な場所だし、システムも特殊だし、中には全然馴染めない人もいるの。だからもしそう感じたら正直にそう言ってね。私はそれでがっかりしたりはしないから。私たちここではみんな正直なの。正直にいろんなことを言うのよ」

「ちゃんと正直に言うよ」と僕は言った。

直子はソファーの僕のとなりに座り、僕の体にもたれかかった。肩を抱くと、彼女は頭を僕の肩にのせ、鼻先を首にあてた。そしてまるで僕の体温をたしかめるみたいにそのままの姿勢でじっとしていた。そんな風に直子をそっと抱いていると、胸が少し熱くなった。やがて直子は何も言わずに立ちあがり、入ってきたときと同じようにそっとドアを開けて出ていった。

直子が行ってしまうと、僕はソファーの上で眠った。眠るつもりはなかったのだけれど、僕は直子の存在感の中で久しぶりに深く眠った。台所には直子の使う食器があり、バスルームには直子の使う歯ブラシがあり、寝室には直子の眠るベッドがあった。僕はそんな部屋の中で、細胞の隅々から疲労感を一滴一滴としぼりとるように深く眠った。そして薄闇の中を舞う蝶の夢を見た。

目が覚めた時、腕時計は四時三十五分を指していた。光の色が少し変り、風がやみ、雲のかたちが変っていた。僕は汗をかいていたので、ナップザックからタオルを出して顔を拭き、シャツを新しいものに変えた。それから台所に行って水を飲み、流しの前の窓から外を眺めた。そこの窓からは向いの棟の窓が見えた。その窓の内側には切り紙細工がいくつか糸で吊してあった。鳥や雲や牛や猫のシルエットが細かく丁寧に切り抜かれ、くみあわされていた。あたりにはあいかわらず人気はなく、物音ひとつしなかった。なんだか手入れの行き届いた廃墟の中に一人で暮しているみたいだった。

人々が「C地区」に戻りはじめたのは五時を少しすぎた頃だった。台所の窓からのぞいてみると、二、三人の女性がすぐ下を通りすぎていくのが見えた。三人とも帽子をかぶっていたので、顔つきや年齢はよくわからなかったけれど、声のかんじからするとそれほど若くはなさそうだった。彼女たちが角を曲って消えてしばらくすると、また同じ方向から四人の女性がやってきて、同じように角を曲って消えていった。あたりには夕暮の気配が漂っていた。居間の窓からは林と山の稜線が見えた。稜線の上にはまるで縁どりのようなかたちに淡い光が浮かんでいた。

直子とレイコさんは二人揃って五時半に戻ってきた。僕と直子ははじめて会うときのようにきちんとひととおりあいさつを交した。直子は本当に恥かしがっているようだった。レイコさんは僕が読んでいた本に目をとめて何を読んでいるのかと訊いた。トーマス・マンの「魔の山」だと僕は言った。

「なんでこんなところにわざわざそんな本持ってくるのよ」とレイコさんはあきれたように言ったが、まあ言われてみればそのとおりだった。

レイコさんがコーヒーをいれ、我々は三人でそれを飲んだ。僕は直子に突撃隊が急に消えてしまった話をした。そして最後に会った日に彼が僕に螢をくれた話をした。残念だわ、彼がいなくなっちゃって、私もっともっとあの人の話を聞きたかったのに、と直子はとても残念そうに言った。レイコさんが突撃隊について知りたがったので、僕はまた彼の話をした。もちろん彼女も大笑いをした。突撃隊の話をしている限り世界は平和で笑いに充ちていた。

六時になると我々は三人で本館の食堂に行って夕食を食べた。僕と直子は魚のフライと野菜サラダと煮物とごはんと味噌汁を食べ、レイコさんはマカロニ・サラダとコーヒーだけしかとらなかった。そしてあとはまた煙草を吸った。

「年とるとね、それほど食べなくてもいいように体がかわってくるのよ」と彼女は説明するように言った。

食堂では二十人くらいの人々がテーブルに向って夕食を食べていた。僕らが食事をしているあいだにも何人かが入ってきて、何人かが出ていった。食堂の光景は人々の年齢がまちまちであることを別にすれば寮の食堂のそれとだいたい同じだった。寮の食堂と違うのは誰もが一定の音量でしゃべっていることだった。大声を出すこともなければ、声をひそめるということもなかった。声をあげて笑ったり驚いたり、手をあげて誰かを呼んだりするようなものは一人もいなかった。誰もが同じような音量の声で静かに話をしていた。彼らはいくつかのグループにわかれて食事をしていた。ひとつのグループは三人から多くて五人だった。一人が何かをしゃべると他の人々はそれに耳を傾けてうんうんと肯き、その人がしゃべり終えるとべつの人がそれについてしばらく何かを話した。何について話しているのかはよくわからなかったけれど、彼らの会話は僕に昼間見たあの奇妙なテニスのゲームを思いださせた。直子も彼らと一緒にいるときはこんなしゃべり方をするのだろうかと僕はいぶかった。そして変な話だとは思うのだけれど、僕は一瞬嫉妬のまじった淋しさを感じた。

僕のうしろのテーブルでは白衣を着ていかにも医者という雰囲気の髪の薄い男が、眼鏡をかけた神経質そうな若い男と栗鼠のような顔つきの中年女性に向って無重力状態では胃液の分泌はどうなるかについてくわしく説明していた。青年と女性は「はあ」とか「そうですか」とか言いながら聞いていた。しかしそのしゃべり方をきいていると、髪のうすい白衣の男が本当に医者なのかどうか僕にはだんだんわからなくなってきた。

食堂の中の誰もとくに僕には注意を払わなかった。誰も僕の方をじろじろとは見なかったし、僕がそこに加っていることにさえ気づかないようだった。僕の参入は彼らにとってはごく自然な出来事であるようだった。

一度だけ白衣を着た男が突然うしろを振り向いて「いつまでここにいらっしゃるんですか？」と僕に訊いた。

「二泊して水曜には帰ります」と僕は答えた。

「今の季節はいいでしょう、ここは。でもね、また冬にもいらっしゃい。何もかもまっ白でいいもんですよ」と彼は言った。

「直子は雪が降るまでにここ出ちゃうかもしれませんよ」とレイコさんは男に言った。

「いや、でも冬はいいよ」と彼は真剣な顔つきでくりかえした。その男が本当に医者なのかどうか僕はますますわからなくなってしまった。

「みんなどんな話をしているんですか？」と僕はレイコさんに訊ねてみた。彼女には質問の趣旨がよくわからない様子だった。

「どんな話って、普通の話よ。一日の出来事、読んだ本、明日の天気、そんないろいろなことよ。まさかあなた誰かがすっと立ちあがって『今日は北極熊がお星様を食べたから明日は雨だ！』なんて叫ぶと思ってたわけじゃないでしょう？」

「いやもちろんそういうことを言ってるんじゃなくて」と僕は言った。「みんなすごく静かに話しているから、いったいどんなことを話しているのかなあとふと思っただけです」

「ここは静かだから、みんな自然に静かな声で話すようになるのよ」直子は魚の骨を皿の隅にきれいに選りわけてあつめ、ハンカチで口もとを拭った。「それに声を大きくする必要がないのよ。相手を説得する必要もないし、誰かの注目をひく必要もないし」

「そうだろうね」と僕は言った。でもそんな中で静かに食事をしていると不思議に人々のざわめきが恋しくなった。人々の笑い声や無意味な叫び声や大仰な表現がなつかしくなった。僕はそんなざわめきにそれまでけっこううんざりさせられてきたものだが、それでもこの奇妙な静けさの中で魚を食べていると、どうも気持が落ちつかなかった。その食堂の雰囲気は特殊な機械工具の見本市会場に似ていた。限定された分野に強い興味を持った人々が限定された場所に集って、お互い同士でしかわからない情報を交換しているのだ。

食事が終って部屋に戻ると直子とレイコさんは「C地区」の中にある共同浴場に行ってくると言った。そしてもしシャワーだけでいいならバスルームのを使っていいと言った。そうすると僕は答えた。彼女たちが行ってしまうと僕は服を脱いでシャワーを浴び、髪を洗った。そしてドライヤーで髪を乾かしながら、本棚に並んでいたビル・エヴァンスのレコードをとりだしてかけたが、しばらくしてから、それが直子の誕生日に彼女の部屋で僕が何度かかけたのと同じレコードであることに気づいた。直子が泣いて、僕が彼女を抱いたその夜にだ。たった半年前のことなのに、それはもうずいぶん昔の出来事であるように思えた。たぶんそのことについて何度も何度も考えたせいだろう。あまりに何度も考えたせいで、時間の感覚がひきのばされて狂ってしまったのだ。

月の光がとても明るかったので僕は部屋の灯りを消し、ソファーに寝転んでビル・エヴァンスのピアノを聴いた。窓からさしこんでくる月の光は様々な事物の影を長くのばし、まるで薄めた墨でも塗ったようにほんのりと淡く壁を染めていた。僕はナップザックの中からブランディーを入れた薄い金属製の水筒をとりだし、ひとくち口にふくんで、ゆっくりとのみ下した。あたたかい感触が喉から胃へとゆっくり下っていくのが感じられた。そしてそのあたたかみは胃から体の隅々へと広がっていった。僕はもうひとくちブランディーを飲んでから水筒のふたを閉め、それをナップザックに戻した。月の光は音楽にあわせて揺れているように見えた。

直子とレイコさんは二十分ほどで風呂から戻ってきた。

「部屋の電気が消えてまっ暗なんでびっくりしたわよ、外から見て」とレイコさんが言った。「荷物をまとめて東京に帰っちゃったのかと思ったわ」

「まさか。こんなに明るい月を見たのは久しぶりだったから電灯を消してみたんですよ」

「でも素敵じゃない、こういうの」と直子は言った。「ねえ、レイコさん、この前停電のときつかったロウソクまだ残っていたかしら？」

「台所の引きだしよ、たぶん」

直子は台所に行って引きだしを開け、大きい白いロウソクを持ってきた。僕はそれに火をつけ、ロウを灰皿にたらしてそこに立てた。レイコさんがその火で煙草に火をつけた。あたりはあいかわらずひっそりとしていて、そんな中で三人でロウソクを囲んでいると、まるで我々三人だけが世界のはしっこにとり残されたみたいに見えた。ひっそりとした月光の影と、ロウソクの光にふらふらと揺れる影とが、白い壁の上でかさなりあい、錯綜していた。僕と直子は並んでソファーに座り、レイコさんは向いの揺り椅子に腰掛けた。

「どう、ワインでも飲まない？」とレイコさんが僕に言った。

「ここはお酒飲んでもかまわないんですか？」と僕はちょっとびっくりして言った。

「本当は駄目なんだけどねえ」とレイコさんは耳たぶを掻きながら照れくさそうに言った。「まあ大体は大目に見てるのよ。ワインとかビールくらいなら、量さえ飲みすぎなきゃね。私、知りあいのスタッフの人に頼んでちょっとずつ買ってきてもらってるの」

「ときどき二人で酒盛りするのよ」直子がいたずらっぽく言った。

「いいですね」と僕は言った。

レイコさんは冷蔵庫から白ワインを出してコルク抜きで栓をあけ、グラスを三つ持ってきた。まるで裏の庭で作ったといったようなさっぱりとした味わいのおいしいワインだった。レコードが終るとレイコさんはベッドの下からギター・ケースを出してきていとおしそうに調弦してから、ゆっくりとバッハのフーガを弾きはじめた。ところどころで指のうまくまわらないところがあったけれど、心のこもったきちんとしたバッハだった。温かく親密で、そこには演奏する喜びのようなものが充ちていた。

「ギターはここに来てから始めたの。部屋にピアノがないでしょ、だからね。独学だし、それに指がギター向きになってないからなかなかうまくならないの。でもギター弾くのって好きよ。小さくて、シンプルで、やさしくて……まるで小さなあたたかい部屋みたい」

彼女はもう一曲バッハの小品を弾いた。組曲の中の何かだ。ロウソクの灯を眺め、ワインを飲みながらレイコさんの弾くバッハに耳を傾けていると、知らず知らずのうちに気持がやすらいできた。バッハが終ると、直子はレイコさんにビートルズのものを弾いてほしいと頼んだ。

「リクエスト・タイム」とレイコさんは片目を細めて僕に言った。「直子が来てから私は来る日も来る日もビートルズのものばかり弾かされているのよ。まるで哀れな音楽奴隷のように」

彼女はそう言いながら「ミシェル」をとても上手く弾いた。

「良い曲ね。私、これ大好きよ」とレイコさんは言ってワインをひとくち飲み、煙草を吸った。「まるで広い草原に雨がやさしく降っているような曲」

それから彼女は「ノーホエア・マン」を弾き、「ジュリア」を弾いた。ときどきギターを弾きながら目を閉じて首を振った。そしてまたワインを飲み、煙草を吸った。

「『ノルウェイの森』を弾いて」と直子が言った。

レイコさんが台所からまねき猫の形をした貯金箱を持ってきて、直子が財布から百円玉を出してそこに入れた。

「なんですか、それ？」と僕は訊いた。

「私が『ノルウェイの森』をリクエストするときはここに百円入れるのがきまりなの」と直子が言った。「この曲いちばん好きだから、とくにそうしてるの。心してリクエストするの」

「そしてそれが私の煙草代になるわけね」

レイコさんは指をよくほぐしてから「ノルウェイの森」を弾いた。彼女の弾く曲には心がこもっていて、しかもそれでいて感情に流れすぎるということがなかった。僕もポケットから百円玉を出して貯金箱に入れた。

「ありがとう」とレイコさんは言ってにっこり笑った。

「この曲聴くと私ときどきすごく哀しくなることがあるの。どうしてだかはわからないけど、自分が深い森の中で迷っているような気になるの」と直子はいった。「一人ぼっちで寒くて、そして暗くって、誰も助けに来てくれなくて。だから私がリクエストしない限り、彼女はこの曲を弾かないの」

「なんだか『カサブランカ』みたいな話よね」とレイコさんは笑って言った。

そのあとでレイコさんはボサノヴァを何曲か弾いた。そのあいだ僕は直子を眺めていた。彼女は手紙にも自分で書いていたように以前より健康そうになり、よく日焼けし、運動と屋外作業のせいでしまった体つきになっていた。湖のように深く澄んだ瞳と恥かしそうに揺れる小さな唇だけは前と変りなかったけれど、全体としてみると彼女の美しさは成熟した女性のそれへと変化していた。以前の彼女の美しさのかげに見えかくれしていたある種の鋭さ——人をふとひやりとさせるあの薄い刃物のような鋭さ——はずっとうしろの方に退き、そのかわりに優しく慰撫するような独得の静けさがまわりに漂っていた。そんな美しさは僕の心を打った。そしてたった半年間のあいだに一人の女性がこれほど大きく変化してしまうのだという事実に驚愕の念を覚えた。直子の新しい美しさは以前のそれと同じようにあるいはそれ以上に僕をひきつけたが、それでも彼女が失ってしまったもののことを考えると残念だなという気がしないでもなかった。あの思春期の少女独特の、それ自体がどんどん一人歩きしてしまうような身勝手な美しさとでも言うべきものはもう彼女には二度と戻ってはこないのだ。

直子は僕の生活のことを知りたいと言った。僕は大学のストのことを話し、それから永沢さんのことを話した。僕が直子に永沢さんの話をしたのはそれが初めてだった。彼の奇妙な人間性と独自の思考システムと偏ったモラリティーについて正確に説明するのは至難の業だったが、直子は最後には僕のいわんとすることをだいたい理解してくれた。僕は自分が彼と二人で女の子を漁りに行くことは伏せておいた。ただあの寮において親しくつきあっている唯一の男はこういうユニークな人物なのだと説明しただけだった。そのあいだレイコさんはギターを抱えて、もう一度さっきのフーガの練習をしていた。彼女はあいかわらずちょっとしたあいまを見つけてはワインを飲んだり煙草をふかしたりしていた。

「不思議な人みたいね」と直子は言った。

「不思議な男だよ」と僕は言った。

「でもその人のこと好きなの？」

「よくわからないね」と僕は言った。「でもたぶん好きというんじゃないだろうな。あの人は好きになるとかならないとか、そういう範疇の存在じゃないんだよ。そして本人もそんなのを求めてるわけじゃないんだ。そういう意味ではあの人はとても正直な人だし、胡麻化しのない人だし、非常にストイックな人だね」

「そんなに沢山女性と寝てストイックっていうのも変な話ね」と直子は笑って言った。

「何人と寝たんだって？」

「たぶんもう八十人くらいは行ってるんじゃないかな」と僕は言った。「でも彼の場合相手の女の数が増えれば増えるほど、そのひとつひとつの行為の持つ意味はどんどん薄まっていくわけだし、それがすなわちあの男の求めていることだと思うんだ」

「それがストイックなの？」と直子が訊ねた。

「彼にとってはね」

直子はしばらく僕の言ったことについて考えていた。「その人、私よりずっと頭がおかしいと思うわ」と彼女は言った。

「僕もそう思う」と僕は言った。「でも彼の場合は自分の中の歪みを全部系統だてて理論化しちゃったんだ。ひどく頭の良い人だからね。あの人をここに連れてきてみなよ、二日で出ていっちゃうね。これも知ってる、あれも知ってる、うんもう全部わかったってさ。そういう人なんだよ。そういう人は世間では尊敬されるのさ」

「きっと私、頭悪いのね」と直子は言った。「ここのことまだよくわかんないもの。私自身のことがまだよくわかんないように」

「頭が悪いんじゃなくて、普通なんだよ。僕にも僕自身のことでわからないことはいっぱいある。それが普通の人だもの」

直子は両脚をソファーの上にのせ、折りまげてその上に顎をのせた。「ねえ、ワタナベ君のことをもっと知りたいわ」と彼女は言った。

「普通の人間だよ。普通の家に生まれて、普通に育って、普通の顔をして、普通の成績で、普通のことを考えている」と僕は言った。

「ねえ、自分のこと普通の人間だという人間を信用しちゃいけないと書いていたのはあなたの大好きなスコット・フィッツジェラルドじゃなかったかしら？　あの本、私あなたに借りて読んだのよ」と直子はいたずらっぽく笑いながら言った。

「たしかに」と僕は認めた。「でも僕はべつに意識的にそうきめつけてるんじゃなくてさ、本当に心からそう思うんだよ。自分が普通の人間だって。君は僕の中に何か普通じゃないものがみつけられるかい？」

「あたりまえでしょう」と直子はあきれたように言った。「あなたそんなこともわからないの？　そうじゃなければどうして私があなたと寝たのよ？　お酒に酔払って誰でもいいから寝ちゃえと思ってあなたとそうしちゃったと考えてたの？」

「いや、もちろんそんなことは思わないよ」と僕は言った。

直子は自分の足の先を眺めながらずっと黙っていた。僕も何を言っていいのかわからなくてワインを飲んだ。

「ワタナベ君、あなた何人くらいの女の人と寝たの？」と直子がふと思いついたように小さな声で訊いた。

「八人か九人」と僕は正直に答えた。

レイコさんが練習を止めてギターをはたと膝の上に落とした。「あなたまだ二十歳になってないでしょ？　いったいどういう生活してんのよ、それ？」

直子は何も言わずにその澄んだ目でじっと僕を見ていた。僕はレイコさんに最初の女の子と寝て彼女と別れたいきさつを説明した。僕は彼女を愛することがどうしてもできなかったのだと言った。それから永沢さんに誘われて知らない女の子たちと次々に寝ることになった事情も話した。

「いいわけするんじゃないけど、辛かったんだよ」と僕は直子に言った。「君と毎週のように会って、話をしていて、しかも君の心の中にあるのがキズキのことだけだってことがね。そう思うととても辛かったんだよ。だから知らない女の子と寝たんだと思う」

直子は何度か首を振ってから顔を上げてまた僕の顔を見た。「ねえ、あなたあのときどうしてキズキ君と寝なかったのかって訊いたわよね？　まだそのこと知りたい？」

「たぶん知ってた方がいいんだろうね」と僕は言った。

「私もそう思うわ」と直子は言った。「死んだ人はずっと死んだままだけど、私たちはこれからも生きていかなきゃならないんだもの」

僕は肯いた。レイコさんはむずかしいパッセージを何度も何度もくりかえして練習していた。

「私、キズキ君と寝てもいいって思ってたのよ」と直子は言って髪どめをはずし、髪を下ろした。そして手の中で蝶のかたちをしたその髪どめをもてあそんでいた。「もちろん彼は私と寝たがったわ。だから私たち何度も何度もためしてみたのよ。でも駄目だったの。できなかったわ。どうしてできないのか私には全然わかんなかったし、今でもわかんないわ。だって私はキズキ君のことを愛していたし、べつに処女性とかそういうのにこだわっていたわけじゃないんだもの。彼がやりたいことなら私、何だって喜んでやってあげようと思ってたのよ。でも、できなかったの」

直子はまた髪を上にあげて、髪どめで止めた。

「全然濡れなかったのよ」と直子は小さな声で言った。「開かなかったの、まるで。だからすごく痛くって。乾いてて、痛いの。いろんな風にためしてみたのよ、私たち。でも何やってもだめだったわ。何かで湿らせてみてもやはり痛いの。だから私ずっとキズキ君のを指とか唇とかでやってあげてたの……わかるでしょ？」

僕は黙って肯いた。

直子は窓の外の月を眺めた。月は前にも増して明るく大きくなっているように見えた。

「私だってできることならこういうこと話したくないのよ、ワタナベ君。できることならこういうことは私の胸の中にそっとしまっておきたかったのよ。でも仕方ないのよ。話さないわけにはいかないのよ。自分でも解決がつかないんだもの。だってあなたと寝たとき私すごく濡れてたでしょ？　そうでしょ？」

「うん」と僕は言った。

「私、あの二十歳の誕生日の夕方、あなたに会った最初からずっと濡れてたの。そうしてずっとあなたに抱かれたいと思ってたの。抱かれて、裸にされて、体を触られて、入れてほしいと思ってたの。そんなこと思ったのってはじめてよ。どうして？　どうしてそんなことが起るの？　だって私、キズキ君のこと本当に愛してたのよ」

「そして僕のことは愛していたわけでもないのに、ということ？」

「ごめんなさい」と直子は言った。「あなたを傷つけたくはないんだけど、でもこれだけはわかって。私とキズキ君は本当にとくべつな関係だったのよ。私たち三つの頃から一緒に遊んでたのよ。私たちいつも一緒にいていろんな話をして、お互いを理解しあって、そんな風に育ったの。はじめてキスしたのは小学校六年のとき、素敵だったわ。私がはじめて生理になったとき彼のところに行ってわんわん泣いたのよ。私たちとにかくそういう関係だったの。だからあの人が死んじゃったあとでは、いったいどういう風に人と接すればいいのか私にはわからなくなっちゃったの。人を愛するというのがいったいどういうことなのかというのも」

彼女はテーブルの上のワイン・グラスをとろうとしたが、うまくとれずにワイン・グラスは床に落ちてころころと転がった。ワインがカーペットの上にこぼれた。僕は身をかがめてグラスを拾い、それをテーブルの上に戻した。もう少しワインが飲みたいかと僕は直子に訊いてみた。彼女はしばらく黙っていたが、やがて突然体を震わせて泣きはじめた。直子は体をふたつに折って両手の中に顔を埋め、前と同じように息をつまらせながら激しく泣いた。レイコさんがギターを置いてやってきて、直子の背中に手をあててやさしく撫でた。そして直子の肩に手をやると、直子はまるで赤ん坊のように頭をレイコさんの胸に押しつけた。

「ね、ワタナベ君」とレイコさんが僕に言った。「悪いけれど二十分くらいそのへんをぶらぶら散歩してきてくれない。そうすればなんとかなると思うから」

僕は肯いて立ちあがり、シャツの上にセーターを着た。「すみません」と僕はレイコさんに言った。

「いいのよ、べつに。あなたのせいじゃないんだから。気にしなくていいのよ。帰ってくるころにはちゃんと収まってるから」彼女はそう言って僕に向って片目を閉じた。

僕は奇妙に非現実的な月の光に照らされた道を辿って雑木林の中に入り、あてもなく歩を運んだ。そんな月の光の下ではいろんな物音が不思議な響き方をした。僕の足音はまるで海底を歩いている人の足音のように、どこかまったく別の方向から鈍く響いて聞こえてきた。時折うしろの方でかさっという小さな乾いた音がした。夜の動物たちが息を殺してじっと僕が立ち去るのを待っているような、そんな重苦しさが林の中に漂っていた。

雑木林を抜け小高くなった丘の斜面に腰を下ろして、僕は直子の住んでいる棟の方を眺めた。直子の部屋をみつけるのは簡単だった。灯のともっていない窓の中から奥の方で小さな光が仄かに揺れているものを探せばよかったのだ。僕は身動きひとつせずにその小さな光をいつまでも眺めていた。その光は僕に燃え残った魂の最後の揺らめきのようなものを連想させた。僕はその光を両手で覆ってしっかりと守ってやりたかった。僕はジェイ・ギャツビイが対岸の小さな光を毎夜見守っていたのと同じように、その仄かな揺れる灯を長いあいだ見つめていた。

僕が部屋に戻ったのは三十分後で、棟の入口まで来るとレイコさんがギターを練習しているのが聴こえた。僕はそっと階段を上り、ドアをノックした。部屋に入ると直子の姿はなく、レイコさんがカーペットの上に座って一人でギターを弾いているだけだった。彼女は僕に指で寝室のドアの方を示した。直子は中にいる、ということらしかった。それからレイコさんはギターを床に置いてソファーに座り、となりに座るようにと僕に言った。そして瓶に残っていたワインをふたつのグラスに分けた。

「彼女は大丈夫よ」とレイコさんは僕の膝を軽く叩きながら言った。「しばらく一人で横になってれば落ちつくから心配しなくてもいいのよ。ちょっと気がたかぶっただけだから。ねえ、そのあいだ私と二人で少し外を散歩しない?」

「いいですよ」と僕は言った。

僕とレイコさんは街灯に照らされた道をゆっくりと歩いて、テニス・コートとバスケットボール・コートのあるところまで来て、そこのベンチに腰を下ろした。彼女はベンチの下からオレンジ色のバスケットのボールをとりだして、しばらく手の中でくるくるとまわしていた。そして僕にテニスはできるかと訊いた。とても下手だけれどできないことはないと僕は答えた。

「バスケットボールは?」

「それほど得意じゃないですね」

「じゃああなたいったい何が得意なの?」とレイコさんは目の横のしわを寄せるようにして笑って言った。「女の子と寝る以外に?」

「べつに得意なわけじゃありませんよ」と僕は少し傷ついて言った。

「怒らないでよ。冗談で言っただけだから。ねえ、本当はどうなの？　どんなことが得意なの？」

「得意なことってないですね。好きなことならあるけれど」

「どんなこと好き？」

「歩いて旅行すること。泳ぐこと。本を読むこと」

「一人でやることが好きなのね？」

「そうですね、そうかもしれませんね」と僕は言った。「他人とやるゲームって昔からそんなに興味が持てないんです。そういうのって何をやってもうまくのめりこめないんです。どうでもよくなっちゃうんです」

「じゃあ冬にここにいらっしゃいよ。私たち冬にはクロス・カントリー・スキーやるのよ。あなたきっとあれ好きになるわよ。雪の中を一日パタパタ歩きまわって汗だくになって」とレイコさんは言った。そして街灯の光の下でまるで古い楽器を点検するみたいにじっと自分の右手を眺めた。

「直子はよくあんな風になるんですか？」と僕は訊いてみた。

「そうね、ときどきね」とレイコさんは今度は左手を見ながら言った。「ときどきあんな具合になるわね。気が高ぶって、泣いて。でもいいのよ、それはそれで。感情を外に出しているわけだからね。怖いのはそれが出せなくなったときよ。そうするとね、感情が体の中にたまってだんだん固くなっていくの。いろんな感情が固まって、体の中で死んでいくの。そうなるともう大変ね」

「僕はさっき何か間違ったこと言ったりしませんでしたか?」

「何も。大丈夫よ、何も間違ってないから心配しなくていいわよ。なんでも正直に言いなさい。それがいちばん良いことなのよ。もしそれがお互いをいくらか傷つけることになったとしても、あるいはさっきみたいに誰かの感情をたかぶらせることになったとしても長い目で見ればそれがいちばん良いやり方なの。あなたが真剣に直子を回復させたいと望んでいるなら、そうしなさい。最初にも言ったように、あの子を助けたいと思うんじゃなくて、あの子を回復させることによって自分も回復したいと望むのよ。それがここのやり方だから。だからつまり、あなたもいろんなことを正直にしゃべるようにしなくちゃいけないわけ、ここでは。だって外の世界ではみんなが何もかも正直にしゃべってるわけではないでしょ?」

「そうですね」と僕は言った。

「私は七年もここにいて、ずいぶん多くの人が入ってきたり出ていったりするのを見てきたのよ」とレイコさんは言った。「たぶんそういうのを沢山見すぎてきたんでしょうね。だからその人を見ているだけで、なおりそうとかなおりそうじゃないとか、わりに直感的にわかっちゃうところがあるのよ。でも直子の場合はね、私にもよくわからないの。あの子がいったいどうなるのか、私にも皆目見当がつかないのよ。来月になったらさっぱりとなおってるかもしれないし、あるいは何年も何年もこういうのがつづくのかもしれないし、だからそれについては私にはあなたに何かアドバイスすることはできないのよ。ただ正直になりなさいとか、助けあいなさいとか、そういうごく一般的なことしかね」

「どうして直子に限って見当がつかないんですか？」

「たぶん私があの子のこと好きだからよね。だからうまく見きわめがつかないんじゃないかしら、感情が入りすぎていて。ねえ、私、あの子のこと好きなのよ、本当に。それからそれとは別にね、あの子の場合にはいろんな問題がいささか複雑に、もつれた紐みたいに絡みあっていて、それをひとつひとつほぐしていくのが骨なのよ。それをほぐすのに長い時間がかかるかもしれないし、あるいは何かの拍子にぽっと全部ほぐれちゃうかもしれないしね。まあそういうことよ。それで私も決めかねているわけ」

彼女はもう一度バスケットボールを手にとって、ぐるぐると手の中でまわしてから地面にバウンドさせた。

「いちばん大事なことはね、焦らないことよ」とレイコさんは僕に言った。「これが私のもうひとつの忠告ね。焦らないこと。物事が手に負えないくらい入りくんで絡みあっていても絶望的な気持になったり、短気を起こして無理にひっぱったりしちゃ駄目なのよ。時間をかけてやるつもりで、ひとつひとつゆっくりとほぐしていかなきゃいけないのよ。できる？」

「やってみます」と僕は言った。

「時間がかかるかもしれないし、時間かけても完全にはなおらないかもしれないわよ。あなたそのこと考えてみた？」

僕は肯いた。

「待つのは辛いわよ」とレイコさんはボールをバウンドさせながら言った。「とくにあなたくらいの歳の人にはね。ただただ彼女がなおるのをじっと待つのよ。そしてそこには何の期限も保証もないのよ。あなたにそれができる？　そこまで直子のことを愛してる？」

「わからないですね」と僕は正直に言った。「僕にも人を愛するというのがどういうことなのか本当によくわからないんです。直子とは違った意味でね。でも僕はできる限りのことをやってみたいんです。そうしないと自分がどこに行けばいいのかということもよくわからないんですよ。だからさっきレイコさんが言ったように、僕と直子はお互いを救いあわなくちゃいけないし、そうするしかお互いが救われる道はないと思います」

「そしてゆきずりの女の子と寝つづけるの？」

「それもどうしていいかよくわかりませんね」と僕は言った。「いったいどうすればいいんですか？　ずっとマスターベーションしながら待ちつづけるべきなんですか？　自分でもうまく収拾できないんですよ、そういうのって」

レイコさんはボールを地面に置いて、僕の膝を軽く叩いた。「あのね、何も女の子と寝るのがよくないって言ってるんじゃないのよ。あなたがそれでいいんなら、それでいいのよ。だってそれはあなたの人生だもの、あなたが自分で決めればいいのよ。ただ私の言いたいのは、不自然なかたちで自分を擦り減らしちゃいけないっていうことよ。わかる？　そういうのってすごくもったいないのよ。十九と二十歳というのは人格成熟にとってとても大事な時期だし、そういう時期につまらない歪みかたすると、年をとってから辛いのよ。本当よ、これ。だからよく考えてね。直子を大事にしたいと思うなら自分も大事にしなさいね」

考えてみます、と僕は言った。

「私にも二十歳の頃があったわ。ずっと昔のことだけど」とレイコさんは言った。「信じる？」

「信じますよ、もちろん」

「心から信じる?」

「心から信じますよ」と僕は笑いながら言った。

「直子ほどじゃないけれど、私だってけっこう可愛いかったのよ、その頃は。今ほどしわもなかったしね」

そのしわすごく好きですよと僕は言った。ありがとうと彼女は言った。

「でもね、この先女の人にあなたのしわが魅力的だなんて言っちゃ駄目よ。私はそう言われると嬉しいけどね」

「気をつけます」と僕は言った。

彼女はズボンのポケットから財布をとりだし、定期入れのところに入っている写真を出して僕に見せてくれた。十歳前後のかわいい女の子のカラー写真だった。その女の子は派手なスキー・ウェアを着て足にスキーをつけ、雪の上でにっこりと微笑んでいた。

「なかなか美人でしょ？　私の娘よ」とレイコさんは言った。「今年のはじめにこの写真送ってくれたの。今、小学校の四年生かな」

「笑い方が似てますね」と僕は言ってその写真を彼女に返した。彼女は財布をポケットに戻し、小さく鼻を鳴らして煙草をくわえて火をつけた。

「私若いころね、プロのピアニストになるつもりだったのよ。才能だってまずまずあったし、まわりもそれを認めてくれたしね。けっこうちやほやされて育ったのよ。コンクールで優勝したこともあるし、音大ではずっとトップの成績だったし、卒業したらドイツに留学するっていう話もだいたい決っていたしね、まあ一点の曇りもない青春だったわね。何をやってもうまく行くし、うまく行かなきゃまわりがうまく行くように手をまわしてくれるしね。でも変なことが起ってある日全部が狂っちゃったのよ。あれは音大の四年のときね。わりに大事なコンクールがあって、私ずうっとそのための練習してたんだけど、突然左の小指が動かなくなっちゃったの。どうして動かないのかわからないんだけど、とにかく全然動かないのよ。マッサージしたり、お湯につけたり、二、三日練習休んだりしたんだけど、それでも全然駄目なのよ。私まっ青になって病院に行ったの。それでずいぶんいろんな検査したんだけれど、医者にもよくわからないのよ。指には何の異常もないし、神経もちゃんとしているし、動かないわけがないっていうのね。だから精神的なものじゃないかって。精神科に行ってみたわよ、私。でもそこでもやはりはっきりしたことはわからなかったの。コンクール前のストレスでそうなったんじゃないかっていうことくらいしかね。だからとにかく当分ピアノを離れて暮しなさいって言われたの」

レイコさんは煙草の煙を深く吸いこんで吐きだした。そして首を何回か曲げた。

「それで私、伊豆にいる祖母のところに行ってしばらく静養することにしたの。そのコンクールのことはあきらめて、ここはひとつのんびりしてやろう、二週間くらいピアノにさわらないで好きなことして遊んでやろうってね。でも駄目だったわ。何をしても頭の中にピアノのことしか浮かんでこないのよ。それ以外のことが何ひとつ思い浮かばないのよ。一生このまま小指が動かないんじゃないだろうか？　もしそうなったらこれからいったいどうやって生きていけばいいんだろう？　そんなことばかりぐるぐる同じこと考えてるのね。だって仕方ないわよ、それまでの人生でピアノが私の全てだったんだもの。私はね四つのときからピアノを始めて、そのことだけを考えて生きてきたのよ。それ以外のことなんか殆んど何ひとつ考えなかったわ。指に怪我しちゃいけないっていうんで家事ひとつしたことないし、ピアノが上手いっていうことだけでまわりが気をつかってくれるしね、そんな風にして育ってきた女の子からピアノをとってごらんなさいよ、いったい何が残る？　それでボンッ！　よ。頭のネジがどこかに吹きとんじゃったのよ。頭がもつれて、まっ暗になっちゃって」

彼女は煙草を地面に捨てて踏んで消し、それからまた何度か首を曲げた。

「それでコンサート・ピアニストになる夢はおしまいよ。二ヵ月入院して、退院して。病院に入って少ししてから小指は動くようになったから、音大に復学してなんとか卒業することはできたわよ。でもね、もう何かが消えちゃったのよ。何かこう、エネルギーの玉のようなものが、体の中から消えちゃってるのよ。医者もプロのピアニストになるには神経が弱すぎるからよした方がいいって言うしね。それで私、大学を出てからは家で生徒をとって教えていたの。でもそういうのって本当に辛かったわよ。まるで私の人生そのものがそこでぱたっと終っちゃったみたいなんですもの。私の人生のいちばん良い部分が二十年ちょっとで終っちゃったのよ。そんなのってひどすぎると思わない？ 私はあらゆる可能性を手にしていたのに、気がつくともう何もないのよ。誰も拍手してくれないし、誰もちやほやしてくれないし、誰も賞めてくれないし、家の中にいて来る日も来る日も近所の子供にバイエルだのソナチネ教えてるだけよ。惨めな気がしてね、しょっちゅう泣いてたわよ。悔しくってね。私よりあきらかに才能のない人がどこのコンクールで二位とっただの、どこのホールでリサイタル開いただの、そういう話を聞くと悔しくってぽろぽろ涙が出てくるの。

両親も私のことを腫れものでもさわるみたいに扱ってたわ。でもね、私にはわかるのよ、この人たちもがっかりしてるんだなあって。ついこの間まで娘のことを世間に自慢してたのに、今じゃ精神病院帰りよ。結婚話だってうまく進められないじゃない。そういう気持ってね、一緒に暮しているとひしひしつたわってくるのよ。嫌で嫌でたまんなかったわ。外に出ると近所の人が私の話をしているみたいで、怖くて外にも出られないし。それでまたボンッ！　よ。ネジがとんで、糸玉がもつれて、頭が暗くなって。それが二十四のときでね、この時は七ヵ月療養所に入ってたわ。ここじゃなくて、ちゃんと高い塀があって門の閉っているところよ。汚くて、ピアノもなくて……私、そのときはもうどうしていいかわかんなかったわね。でもこんなところ早く出たいっていう一念で、死にもの狂いで頑張ってなおしたのよ。七ヵ月——長かったわね。そんな風にしてしわが少しずつ増えてったわけよ」

レイコさんは唇を横にひっぱるようにのばして笑った。

「病院を出てしばらくしてから主人と知りあって結婚したの。彼は私よりひとつ年下で、航空機を作る会社につとめるエンジニアで、私のピアノの生徒だったの。良い人よ。口数は少ないけれど、誠実で心のあたたかい人で。彼が半年くらいレッスンをつづけたあとで、突然私に結婚してくれないかって言いだしたの。ある日レッスンが終ってお茶飲んでるときに突然よ。ねえ、信じられる？　それまで私たちデートしたこともなきゃ手を握ったこともなかったのよ。私びっくりしちゃったわ。それで私、彼に結婚することはできないって言ったの。あなたは良い人だと思うし好意を抱いてはいるけれど、いろいろと事情があってあなたと結婚することはできないんだって。彼はその事情を聞きたがったから、私は全部正直に説明したわ。二回頭がおかしくなって入院したことがあるんだって。細かいところまできちんと話したわよ。何が原因で、それでこういう具合になったし、これから先だってまた同じようなことが起るかもしれないってね。少し考えさせてほしいって彼が言うからどうぞゆっくり考えて下さいって私言ったの。全然急がないからって。次の週彼がやってきてやはり結婚したいって言ったわ。それで私言ったの。三ヵ月待ってって。三ヵ月二人でおつきあいしましょう。それでまだあなたに結婚したいという気持があったら、その時点で二人でもう一度話しあいましょうって。

三ヵ月間、私たち週に一度デートしたの。いろんなところに行って、いろんな話をして。それで私、彼のことがすごく好きになったの。彼と一緒にいると私の人生がやっと戻ってきたような気がしたの。二人でいるとすごくほっとしてね、いろんな嫌なことが忘れられたの。ピアニストになれなくったって、精神病で入院したことがあったって、そんなことで人生が終っちゃったわけじゃないんだ、人生には私の知らない素敵なことがまだいっぱいつまっているんだって思ったの。そしてそういう気持にさせてくれたことだけで、私は彼に心から感謝したわ。三ヵ月たって、彼はやはり私と結婚したいって言ったの。『もし私と寝たいのなら寝ていいわよ』って私は言ったの。『私、まだ誰とも寝たことないけれど、あなたのことは大好きだから、私を抱きたければ抱いて全然構わないのよ。でも私と結婚するっていうのはそれとはまったく別のことなのよ。あなたは私と結婚することで、私のトラブルも抱えこむことになるのよ。これはあなたが考えているよりずっと大変なことなのよ。それでもかまわないの』って。

構わないって彼は言ったわ。僕はただ単に寝たいわけじゃないんだ、君と結婚したいんだ、君の中の何もかも君と共有したいんだってね。そして彼は本当にそう思ってたのよ。彼は本当に思っていることしか口に出さない人だし、口にだしたことはちゃんと実行する人なのよ。いいわ、結婚しましょうって言ったわ。だってそう言うしかないものね。結婚したのはその四ヵ月後だったかな。彼はそのことで彼の両親と喧嘩して絶縁しちゃったの。彼の家は四国の田舎の旧家でね、両親が私のことを徹底的に調べて、入院歴が二回あることがわかっちゃったのよ。それで結婚に反対して喧嘩になっちゃったわけ。まあ反対するのも無理ないと思うけれどね。だから私たち結婚式もあげなかったの。役所に行って婚姻届け出して、箱根に二泊旅行しただけ。でもすごく幸せだったわ、何もかもが。結局私、結婚するまで処女だったのよ、二十五の歳まで。嘘みたいでしょ？」

レイコさんはため息をついて、またバスケットボールを持ちあげた。

「この人といる限り私は大丈夫って思ったわ」とレイコさんは言った。「この人と一緒にいる限り私が悪くなることはもうないだろうってね。ねえ、私たちの病気にとっていちばん大事なのはこの信頼感なのよ。この人にまかせておけば大丈夫、少しでも私の具合がわるくなってきたら、つまりネジがゆるみはじめたら、この人はすぐに気づいて注意深く我慢づよくなおしてくれる――ネジをしめなおし、糸玉をほぐしてくれる――そういう信頼感があれば、私たちの病気はまず再発しないの。そういう信頼感が存在する限りまずあのボンッ！　は起らないのよ。嬉しかったわ。人生ってなんて素晴しいんだろうって思ったわ。まるで荒れた冷たい海から引きあげられて毛布にくるまれて温かいベッドに横たえられているようなそんな気分ね。結婚して二年後に子供が生まれて、それからはもう子供の世話で手いっぱいよ。おかげで自分の病気のことなんかすっかり忘れちゃったくらい。朝起きて家事して子供の世話して、彼が帰ってきたらごはん食べさせて……毎日毎日がそのくりかえし。でも幸せだったわ。私の人生の中でたぶんいちばん幸せだった時期よ。そういうのが何年つづいたかしら？　三十一の歳まではつづいたわよね。そしてまたボンッ！よ。破裂したの」

レイコさんは煙草に火をつけた。もう風はやんでいた。煙はまっすぐ上に立ちのぼって夜の闇の中に消えていった。気がつくと空には無数の星が光っていた。

「何かがあったんですか？」と僕は訊いた。

「そうねえ」とレイコさんは言った。「すごく奇妙なことがあったのよ。まるで何かの罠か落とし穴みたいにそれが私をじっとそこで待っていたのよ。私ね、そのこと考えると今でも寒気がするの」彼女は煙草を持っていない方の手でこめかみをこすった。「でもわるいわね、私の話ばかり聞かせちゃって。あなたせっかく直子に会いに来たのに」

「本当に聞きたいんです」と僕は言った。「もしよければその話を聞かせてくれませんか？」

「子供が幼稚園に入って、私はまた少しずつピアノを弾くようになったの」とレイコさんは話しはじめた。「誰のためでもなく、自分のためにピアノを弾くようになったの。バッハとかモーツァルトとかスカルラッティーとか、そういう人たちの小さな曲から始めたのよ。もちろんずいぶん長いブランクがあるからなかなか勘は戻らないわよ。指だって昔に比べたら全然思うように動かないしね。でも嬉しかったわ。またピアノが弾けるんだわって思ってね。そういう風にピアノを弾いていると、自分がどれほど音楽が好きだったかっていうのがもうひしひしとわかるのよ。そして自分がどれほどそれに飢えていたかっていうこともね。でも素晴しいことよ、自分自身のために音楽が演奏できるということはね。

さっきも言ったように私は四つのときからピアノを弾いてきたわけだけれど、考えてみたら自分自身のためにピアノを弾いたことなんてただの一度もなかったのよ。テストをパスするためとか、課題曲だからとか人を感心させるためだとか、そんなためばかりにピアノを弾きつづけてきたのよ。もちろんそういうのは大事なことではあるのよ、ひとつの楽器をマスターするためにはね。でもある年齢をすぎたら人は自分のために音楽を演奏しなくてはならないのよ。音楽というのはそういうものなのよ。そして私はエリート・コースからドロップ・アウトして三十一か三十二になってやっとそれを悟ることができたのよ。子供を幼稚園にやって、家事はさっさと早くかたづけて、それから一時間か二時間自分の好きな曲を弾いたの。そこまでは何も問題はなかったわ。ないでしょ？」

僕は肯いた。

「ところがある日顔だけ知ってて道で会うとあいさつするくらいの間柄の奥さんが私を訪ねてきて、実は娘があなたにピアノを習いたがってるんだけど教えて頂くわけにはいかないだろうかっていうの。近所っていってもけっこう離れてるから、私はその娘さんのことは知らなかったんだけれど、その奥さんの話によるとその子は私の家の前を通ってよく私のピアノを聴いてすごく感動したんだっていうの。そして私の顔も知っていて憧れているっていうのね。その子は中学二年生でこれまで何度かは先生についてピアノを習っていたんだけれど、どうもいろんな理由でうまくいかなくて、それで今は誰にもついていないいってことなの。

私は断ったわ。私は何年もブランクがあるし、まったくの初心者ならともかく何年もレッスンを受けた人を途中から教えるのは無理ですって言ってね。だいいち子供の世話が忙しくてできませんって。それに、これはもちろん相手には言わなかったけれど、しょっちゅう先生をかえる子って誰がやってもまず無理なのよ。でもその奥さんは一度でいいから娘に会うだけでも会ってやってくれって言うの。まあけっこう押しの強い人で断ると面倒臭そうだったし、まあ会いたいっていうのをはねつけるわけにもいかないし、会うだけでいいんならかまいませんけどって言ったわ。三日後にその子は一人でやってきたの。天使みたいにきれいな子だったわ。もうなにしろね、本当にすきとおるようにきれいなの。あんなきれいな女の子を見たのは、あとにも先にもあれがはじめてよ。髪がすったばかりの墨みたいに黒くて長くて、手足がすらっと細くて、目が輝いていて、唇は今つくったばかりっていった具合に小さくて柔かそうなの。私、最初見たとき口きけなかったわよ、しばらく。それくらい綺麗なの。その子がうちの応接間のソファーに座っていると、まるで違う部屋みたいにゴージャスに見えるのよね。じっと見ているとすごく眩しくてね、こう目を細めたくなっちゃうの。そんな子だったわ。今でもはっきりと目に浮かぶわね」

レイコさんは本当にその女の子の顔を思い浮かべるようにしばらく目を細めていた。

「コーヒーを飲みながら私たち一時間くらいお話したの。いろんなことをね。音楽のこととか学校のこととか。見るからに頭の良い子だったわ。話の要領もいいし、意見もきちっとして鋭いし、相手をひきつける天賦の才があるのよ。怖いくらいにね。でもその怖さがいったい何なのか、そのときの私にはよくわからなかったわ。ただなんとなく怖いくらいに目から鼻に抜けるようなところがあるなとふと思っただけよ。でもね、その子を前に話をしているとだんだん正常な判断がなくなってくるの。つまりあまりにも相手が若くて美しいんで、それに圧倒されちゃって、自分がはるかに劣った不細工な人間みたいに思えてきて、そして彼女に対して否定的な思いがふと浮かんだとしても、そういうのってきっとねじくれた汚ない考えじゃないかっていう気がしちゃうわけ」

彼女は何度か首を振った。

「もし私があの子くらいで綺麗で頭良かったら、私ならもっとまともな人間になるわね。あれくらい頭がよくて美しいのに、それ以上の何が欲しいっていうのよ？　あれほどみんなに大事にされているっていうのに、どうして自分より劣った弱いものをいじめたり踏みつけたりしなくちゃいけないのよ？　だってそんなことしなくちゃいけない理由なんて何もないでしょう？」

「何かひどいことをされたんですか？」

「まあ順番に話していくとね、その子は病的な嘘つきだったのよ。あれはもう完全な病気よね。なんでもかんでも話を作っちゃうわけ。そして話しているあいだは自分でもそれを本当だと思いこんじゃうわけ。そしてその話のつじつまをあわせるために周辺の物事をどんどん作りかえていっちゃうの。でも普通ならあれ、変だな、おかしいな、と思うところでも、その子は頭の回転がおそろしく速いから、人の先にまわってどんどん手をくわえていくし、だから相手は全然気づかないのよ。それが嘘であることにね。だいたいそんなきれいな子がなんでもないつまらないことで嘘をつくなんて事誰も思わないの。私だってそうだったわ。私、その子のつくり話を半年間山ほど聞かされて、一度も疑わなかったのよ。何から何まで作り話だっていうのによ。馬鹿みたいだわ、まったく」

「どんな嘘をつくんですか？」

「ありとあらゆる嘘よ」とレイコさんは皮肉っぽく笑いながら言った。「今も言ったでしょ？　人は何かのことで嘘をつくと、それにあわせていっぱい嘘をつかなくちゃならなくなるのよ。それが虚言症よ。でも虚言症の人の嘘というのは多くの場合罪のない種類のものだし、まわりの人にもだいたいわかっちゃうものなのよ。でもその子の場合は違うのよ。彼女は自分を守るためには平気で他人を傷つける嘘をつくし、利用できるものは何でも利用しようとするの。そして相手によって嘘をついたりつかなかったりするの。お母さんとか親しい友だちとかそういう嘘をついたらすぐばれちゃうような相手にはあまり嘘をつかないし、そうしなくちゃいけないときには細心の注意を払って嘘をつくの。決してばれないような嘘をね。そしてもしばれちゃうようなことがあったら、あのきれいな目からぼろぼろ涙をこぼして言い訳するか謝まるかするのよ、すがりつくような声でね。すると誰もそれ以上怒れなくなっちゃうの。

どうしてあの子が私を選んだのか、今でもよくわからないのよ。彼女の犠牲者として私を選んだのか、それとも何かしらの救いを求めて私を選んだのかがね。それは今でもわからないわ、全然。もっとも今となってはどちらでもいいようなことだけれどね。もう何もかも終ってしまって、そして結局こんな風になってしまったんだから」

短かい沈黙があった。

「彼女のお母さんが言ったことを彼女もまたくりかえしたの。うちの前をとおって私のピアノを耳にして感動した。私にも外で何度か会って憧れてたってね。『憧れてた』って言ったのよ。私、赤くなっちゃったわ。お人形みたいに綺麗な女の子に憧れられるなんてね。でもね、それはまるっきりの嘘ではなかったと思うのね。もちろん私はもう三十を過ぎてたし、その子ほど美人でも頭良くもなかったし、とくに才能があるわけでもないし。でもね、私の中にはきっとその子をひきつける何かがあったのね。その子に欠けている何かとか、そういうものじゃないかしら？　だからこそその子は私に興味を持ったのよ。今になってみるとそう思うわ。ねえ、これ自慢してるわけじゃないのよ」

「わかりますよ、それはなんとなく」と僕は言った。

「その子は譜面を持ってきてて、弾いてみていいかって訊いたの。いいわよ、弾いてごらんなさいって私は言ったわ。それで彼女バッハのインベンション弾いたの。それがね、なんていうか面白い演奏なのよ。面白いというか不思議というか、まず普通じゃないのよね。もちろんそれほど上手くないわよ。専門的な学校に入ってやっているわけでもないし、レッスンだって通ったり通わなかったりでずいぶん我流でやってきたわけだから。きちっと訓練された音じゃないのよ。もし音楽学校の入試の実技でこんな演奏したら一発でアウトね。でもね、聴かせるのよ、それが。つまりね全体の九〇パーセントはひどいんだけれど、残りの一〇パーセントの聴かせどころをちゃんと唄って聴かせるのよ。それもバッハのインベンションでよ！ 私それでその子にとても興味を持ったの。この子はいったい何なんだろうってね。

そりゃね、世の中にはもっともっと上手くバッハを弾く若い子はいっぱいいるわよ。その子の二十倍くらい上手く弾く子だっているでしょうね。でもそういう演奏ってだいたい中身がないのよ。かすかすの空っぽなのよ。でもその子のはね、下手だけれど人を、少くとも私を、ひきつけるものを少し持ってるのよ。それで私、思ったの。この子なら教えてみる価値はあるかもしれないって。もちろん今から訓練しなおしてプロにするのは無理よ。でもそのときの私のように——今でもそうだけれど——楽しんで自分のためにピアノを演奏することのできる幸せなピアノ弾きにすることは可能かもしれないってね。でもそんなのは結局空しい望みだったのよ。彼女はね、自分自身のためにひっそりと何かをするといった人間じゃないんだもの。彼女は他人を感心させるためにあらゆる手段をつかって細かい計算をしてやっていく子供だったのよ。どうすれば他人が感心するか、賞めてくれるかっていうのがちゃんとわかっていたのよ。どういうタイプの演奏をすれば私をひきつけられるかということもね。全部きちんと計算されていたのよ。そしてその聴かせるところだけをとにかく一所懸命何度も何度も練習したんでしょうね。目に浮かぶわよ。

でもそれでもね、そういうのがわかってしまった今でもね、やはりそれは素敵な演奏だったと思うし、今もう一回あれを聴かされたとしても、私やっぱりどきっとすると思うわね。彼女のずるさと嘘と欠点を全部さっぴいてもよ。ねえ、世の中にはそういうことってあるのよ」

レイコさんは乾いた声で咳払いしてから、話をやめてしばらく黙っていた。

「それでその子を生徒にとったんですか？」と僕は訊いてみた。

「そうよ。週に一回。土曜日の午前中。その子の学校は土曜日もお休みだったから。一度も休まなかったし、遅刻もしなかったし、理想的な生徒だったわ。練習もちゃんとやってくるし。レッスンが終ると、私たちケーキを食べてお話したの」レイコさんはそこでふと気がついたように腕時計を見た。「ねえ、私たちそろそろ部屋に戻った方がいいんじゃないかしら。直子のことがちょっと心配になってきたから。あなたまさか直子のこと忘れちゃったんじゃないでしょうね？」

「忘れやしませんよ」と僕は笑って言った。「ただ話にひきこまれてたんです」

「もし話のつづき聞きたいんなら明日話してあげるわよ。長い話だから一度には話せないのよ」

「まるでシエラザードですね」

「うん、東京に戻れなくなっちゃうわよ」と言ってレイコさんも笑った。

僕らは往きに来たのと同じ雑木林の中の道を抜け、部屋に戻った。ロウソクは消され、居間の電灯も消えていた。寝室のドアが開いてベッドサイドのランプがついていて、その仄かな光が居間の方にこぼれていた。そんな薄暗がりのソファーの上に直子がぽつんと座っていた。彼女はガウンのようなものに着がえていた。その襟を首の上までぎゅっとあわせ、ソファーの上に足をあげ、膝を曲げて座っていた。レイコさんは直子のところに行って、頭のてっぺんに手を置いた。

「もう大丈夫？」

「ええ、大丈夫よ。ごめんなさい」と直子は小さな声で言った。それから僕の方を向いて恥かしそうにごめんなさいと言った。「びっくりした？」

「少しね」と僕はにっこりとして言った。

「ここに来て」と直子が言った。僕が隣りに座ると、直子はソファーの上で膝を曲げたまま、まるで内緒話でもするみたいに僕の耳もとに顔を近づけ、耳のわきにそっと唇をつけた。「ごめんなさい」ともう一度直子は僕の耳に向って小さな声で言った。そして体を離した。

「ときどき自分でも何がどうなっているのかわかんなくなっちゃうことがあるのよ」と直子は言った。

「僕はそういうことしょっちゅうあるよ」

直子は微笑んで僕の顔を見た。ねえ、よかったら君のことをもっと聞きたいな、と僕は言った。ここでの生活のこと。毎日どんなことしているとか、どんな人がいるとか。

直子は自分の一日の生活についてぽつぽつと、でもはっきりとした言葉で話した。朝は六時に起きてここで食事をし、鳥小屋の掃除をしてから、だいたいは農場で働く。野菜の世話をする。昼食の前かあとに一時間くらい担当医との個別面接か、あるいはグループ・ディスカッションがある。午後は自由カリキュラムで、自分の好きな講座かあるいは野外作業かスポーツが選べる。彼女はフランス語とか編物とかピアノとか古代史とか、そういう講座をいくつかとっていた。

「ピアノはレイコさんに教わってるの」と直子は言った。「彼女は他にギターも教えてるのよ。私たちみんな生徒になったり先生になったりするの。フランス語に堪能な人はフランス語教えるし、社会科の先生してた人は歴史を教えるし、編物の上手な人は編物を教えるし、そういうのだけでもちょっとした学校みたいになっちゃうのよ。残念ながら私には他人に教えてあげられるようなものは何もないけれど」

「僕にもないね」

「とにかく私、大学にいたときよりずっと熱心に学んでいるわよ、ここで。よく勉強もしているし、そういうのって楽しいのよ、すごく」

「夕ごはんのあとはいつも何するの？」

「レイコさんとおしゃべりしたり、本を読んだり、レコードを聴いたり、他の人の部屋に行ってゲームをしたり、そういうこと」と直子は言った。

「私はギターの練習をしたり、自叙伝を書いたり」とレイコさんは言った。

「自叙伝？」

「冗談よ」とレイコさんは笑って言った。「そして私たち十時くらいに眠るの。どう、健康的な生活でしょう？　ぐっすりと眠れるわよ」

　僕は時計を見た。九時少し前だった。「じゃあもうそろそろ眠いんじゃないですか？」

「でも今日は大丈夫よ、少しくらい遅くなっても」と直子は言った。「久しぶりだからもっとお話がしたいもの。何かお話して」

「さっき一人でいるときにね、急にいろんな昔のこと思いだしてたんだ」と僕は言った。「昔キズキと二人で君を見舞いに行ったときのこと覚えてる？　海岸の病院に。高校二年生の夏だっけな」

「胸の手術したときのことね」と直子はにっこり笑って言った。「よく覚えているわよ。あなたとキズキ君がバイクに乗って来てくれたのよね。ぐしゃぐしゃに溶けたチョコレートを持って。あれ食べるの大変だったわよ。でもなんだかものすごく昔の話みたいな気がするわね」

「そうだね。その時、君はたしか長い詩を書いてたな」

「あの年頃の女の子ってみんな詩を書くのよ」とくすくす笑いながら直子は言った。「どうしてそんなこと急に思いだしたの？」

「わからないな。ただ思いだしたんだよ。海風の匂いとか夾竹桃とか、そういうのがさ、ふと浮かんできたんだよ」と僕は言った。「ねえ、キズキはあのときよく君の見舞いに行

「見舞いになんて殆んど来やしないわよ。そのことで私たち喧嘩したんだから、あとで。はじめに一度来て、それからあなたと二人できて、それっきりよ。ひどいでしょ? 最初に来たときだってなんだかそわそわそわそわして、十分くらいで帰っていったわ。オレンジ持ってきてね、ぶつぶつよくわけのわからないこと言って、それからオレンジをむいて食べさせてくれて、またぶつぶつわけのわからないこと言って、ぷいって帰っちゃったの。俺本当に病院って弱いんだとかなんとか言ってね」直子はそう言って笑った。「そういう面ではあの人はずっと子供のままだったのよ。だってそうでしょ? 病院の好きな人なんてどこにもいやしないわよ。だからこそ人は慰めにお見舞いに来るんじゃない。元気出しなさいって。そういうのがあの人ってよくわかってなかったのよね」

「でも僕と二人で病院に行ったときはそんなにひどくなかったよ。ごく普通にしてたもの」

「それはあなたの前だったからよ」と直子は言った。「あの人、あなたの前ではいつもそうだったのよ。弱い面は見せるまいって頑張ってたの。きっとあなたのことを好きだったのね、キズキ君は。だから自分の良い方の面だけを見せようと努力していたのよ。でも私と二人でいるときの彼はそうじゃないのよ。少し力を抜くのよね。本当は気分が変りやすい人なの。たとえばべらべらと一人でしゃべりまくったかと思うと次の瞬間にはふさぎこんだりね。そういうことがしょっちゅうあったわ。子供のころからずっとそうだったの。いつも自分を変えよう、向上させようとしていたけれど」

直子はソファーの上で脚を組みなおした。

「いつも自分を変えよう、向上させようとして、それが上手くいかなくて苛々したり悲しんだりしていたの。とても立派なものや美しいものを持っていたのに、最後まで自分に自信が持てなくて、あれもしなくちゃ、ここも変えなくちゃなんてそんなことばかり考えていたのよ。可哀そうなキズキ君」

「でももし彼が僕に自分の良い面だけを見せようと努力していたんだとしたら、その努力は成功していたみたいだね。だって僕は彼の良い面しか見えなかったもの」

直子は微笑んだ。「それを聞いたら彼きっと喜ぶわね。あなたは彼のたった一人の友だちだったんだもの」

「そしてキズキも僕にとってはたった一人の友だちだったんだよ」と僕は言った。「その前にもそのあとにも友だちと呼べそうな人間なんて僕にはいないんだ」

「だから私、あなたとキズキ君と三人でいるのけっこう好きだったのよ。そうすると私もキズキ君の良い面だけ見ていられるでしょ。そうすると私、すごく気持が楽になったの。

安心していられるの。だから三人でいるの好きだったの。あなたがどう思っていたのかはしらないけれど」

「僕は君がどう思っているのか気になってたな」と僕は言って小さく首を振った。

「でもね、問題はそういうことがいつまでもつづくわけはないってことだったのよ。そういう小さな輪みたいなものが永遠に維持されるわけはないのよ。それはキズキ君にもわかっていたし、私にもわかっていたし、あなたにもわかっていたのよ。そうでしょ?」

僕は肯いた。

「でも正直に言って、私はあの人の弱い面だって大好きだったのよ。良い面と同じくらい好きだったの。だって彼にはずるさとか意地わるさとかは全然なかったのよ。ただ弱いだけなの。でも私がそう言っても彼は信じなかったわ。そしていつもこう言うのよ。直子、それは僕と君が三つのときからずっと一緒にいて僕のことを知りすぎているせいだ、だから何が欠点で何が長所か見わけがつかなくていろんなものをごたまぜにしてるんだってね。彼はいつもそう言ったわ。でもどう言われても私、彼のことが好きだったし、彼以外の人になんて殆んど興味すら持てなかったのよ」

直子は僕の方を向いて哀しそうに微笑んだ。

「私たちは普通の男女の関係とはずいぶん違ってたのよ。何かどこかの部分で肉体がくっつきあっているような、そんな関係だったの。あるとき遠くに離れていても特殊な引力によってまたもとに戻ってくっついてしまうようなね。だから私とキズキ君が恋人のような関係になったのはごく自然なことだったの。考慮とか選択の余地のないことだったの。私たちは十二の歳にはキスして、十三の歳にはもうペッティングしてたの。私が彼の部屋に行くか、彼が私の部屋に遊びに来るかして、それで彼のを手で処理してあげて……。でもね、私は自分たちが早熟だなんてちっとも思わなかったわ。そんなの当然のことだと思っていたの。彼が私の乳房やら性器やらをいじりたいんならそんなのいじったって全然かまわないし、彼が精液を出したいんならそれを手伝ってあげるのも全然かまわなかったのよ。だからもし誰かがそのことで私たちを非難したとしたら、私きっとびっくりするか腹を立てたと思うわ。だって私たち間違ったことやってたわけじゃないんだもの。当然やるはずのことをやってただけのことなのよ。私たち、お互いの体を隅から隅まで見せあってきたし、まるでお互いの体を共有しているような、そんな感じだったのよ。でも私たちしばらくはそれより先にはいかないようにしていたの。妊娠するのは怖かったし、どうすれば避妊できるのかその頃はよくわからなかったし……。とにかく私たちはそんな具合に成長してきたのよ、二人一組で手をとりあって。普通の成長期の子供たちが経験するような性の重圧とかエゴの膨脹の苦しみみたいなものを殆んど経験することなくね。私たちさっきも言ったように性に対しては一貫してオープンだったし、自我にしたってお互いで吸収しあったりわけあったりすることが可能だったからとくに強く意識することもなかったし。私の言ってる意味わかる？」

「わかると思う」と僕は言った。

「私たち二人は離れることができない関係だったのよ。だからもしキズキ君が生きていたら、私たちたぶん一緒にいて、愛しあっていて、そして少しずつ不幸になっていったと思うわ」

「どうして？」

直子は指で何度か髪をすいた。もう髪どめを外していたので、下を向くと髪が落ちて彼女の顔を隠した。

「たぶん私たち、世の中に借りを返さなくちゃならなかったからよ」と直子は顔を上げて言った。「成長の辛さのようなものをね。私たちは支払うべきときに代価を支払わなかったから、そのつけが今まわってきてるのよ。だからキズキ君はああなっちゃったし、今私はこうしてここにいるのよ。私たちは無人島で育った裸の子供たちのようなものだったのよ。おなかがすけばバナナを食べ、淋しくなれば二人で抱きあって眠ったの。でもそんなこといつまでもつづかないわ。私たちはどんどん大きくなっていくし、社会の中に出ていかなくちゃならないし。だからあなたは私たちにとっては重要な存在だったのよ。あなたは私たちと外の世界を結ぶリンクのような意味を持っていたのよ。私たちはあなたを仲介にして外の世界にうまく同化しようと私たちなりに努力していたのよ。結局はうまくいかなかったけれど」

僕は肯いた。

「でも私たちがあなたを利用したなんて思わないでね。キズキ君は本当にあなたのことが好きだったし、たまたま私たちにとってはあなたとの関りが最初の他者との関りだったのよ。そしてそれは今でもつづいているのよ。キズキ君は死んでもういなくなっちゃったけれど、あなたは私と外の世界を結びつける唯一のリンクなのよ、今でも。そしてキズキ君があなたのことを好きだったように、私もあなたのことが好きなのよ。そしてそんなつもりはまったくなかったんだけれど、結果的には私たちあなたの心を傷つけてしまったのかもしれないわね。そんなことになるかもしれないなんて思いつきもしなかったのよ」

直子はまた下を向いて黙った。

「どう、ココアでも飲まない？」とレイコさんが言った。

「ええ、飲みたいわ、とても」と直子は言った。

「僕は持ってきたブランディーを飲みたいんだけどかまいませんか？」と僕は訊いた。

「どうぞどうぞ」とレイコさんは言った。「私にもひとくちくれる？」

「もちろんいいですよ」と僕は笑って言った。

レイコさんはグラスをふたつ持って来て、僕と彼女はそれで乾杯した。それからレイコさんはキッチンに行ってココアを作った。

「もう少し明るい話をしない？」と直子が言った。

でも僕には明るい話の持ちあわせがなかった。突撃隊がいてくれたらなあと僕は残念に思った。あいつさえいれば次々にエピソードが生まれ、そしてその話さえしていればみんなが楽しい気持になれるのに、と。仕方がないので僕は寮の中でみんながどれほど不潔な生活をしているかについて延々としゃべった。あまりにも汚くて話してるだけで嫌な気分になったが、二人にはそういうのが珍しいらしく笑い転げて聴いていた。それからレイコさんがいろんな精神病患者の物真似をした。これも大変におかしかった。十一時になって直子が眠そうな目になってきたので、レイコさんがソファーの背を倒してベッドにし、シーツと毛布と枕をセットしてくれた。

「夜中にレイプしにくるのはいいけど相手まちがえないでね」とレイコさんが言った。「左側のベッドで寝てるしわのない体が直子のだから」

「嘘よ。私右側だわ」と直子が言った。

「ねえ、明日は午後のカリキュラムをいくつかパスできるようにしておいたから、私たちピクニックに行きましょうよ。近所にとてもいいところがあるのよ」とレイコさんが言った。

「いいですね」と僕は言った。

彼女たちがかわりばんこに洗面所で歯をみがき寝室にひきあげてしまうと、僕はブランディーを少し飲み、ソファー・ベッドに寝転んで今日いちにちの出来事を朝から順番に辿ってみた。なんだかとても長い一日みたいに思えた。部屋の中はあいかわらず月の光に白く照らされていた。直子とレイコさんが眠っている寝室はひっそりとして、物音らしきものは殆んど何も聞こえなかった。ただ時折ベッドの小さな軋みが聞こえるだけだった。目を閉じると暗闇の中でちらちらとした微小な図形が舞い、耳もとにレイコさんの弾くギターの残響を感じたが、しかしそれも長くはつづかなかった。眠りがやってきて、温かい泥の中に僕を運んでいった。そして僕は柳の夢を見た。山道の両側にずっと柳の木が並んでいた。信じられないくらいの数の柳だった。けっこう強い風が吹いていたが、柳の枝はそよとも揺れなかった。どうしてだろうと思ってみると、柳の枝の一本一本に小さな鳥がしがみついているのが見えた。その重みで柳の枝が揺れないのだ。僕は棒きれを持って近くの枝を叩いてみた。鳥を追い払って柳の枝を揺らそうとしたのだ。でも鳥は飛びたたなかった。飛びたつかわりに鳥たちは鳥のかたちをした金属になってどさっどさっと音を立てて地面に落ちた。

目を覚ましたとき、僕はまるでその夢のつづきを見ているような気分だった。部屋の中は月のあかりでほんのりと白く光っていた。僕は反射的に床の上に鳥のかたちをした金属を探し求めたが、もちろんそんなものはどこにもなかった。直子が僕のベッドの足もとにぽつんと座って、窓の外をじっと見ているだけだった。彼女は膝をふたつに折って、飢えた孤児のようにその上に顎をのせていた。僕は時間を調べようと思って枕もとの腕時計を探したが、それは置いたはずの場所にはなかった。月の光の具合からするとたぶん二時か三時だろうと僕は見当をつけた。激しい喉の乾きを感じたが、僕はそのままじっと直子の様子を見ていることにした。直子はさっきと同じブルーのガウンのようなものを着て、髪の片側を例の蝶のかたちをしたピンでとめていた。そのせいで彼女のきれいな額がくっきりと月光に照らされていた。妙だなと僕は思った。彼女は寝る前には髪どめを外していたのだ。

直子は同じ姿勢のままぴくりとも動かなかった。彼女はまるで月光にひき寄せられる夜の小動物のように見えた。月光の角度のせいで、彼女の唇の影が誇張されていた。そのいかにも傷つきやすそうな影は、彼女の心臓の鼓動かあるいは心の動きにあわせて、ぴくぴくと細かく揺れていた。それはあたかも夜の闇に向って音のない言葉を囁きかけるかのように。

僕は喉の乾きを癒すために唾をのみこんだが、夜の静寂の中でその音はひどく大きく響いた。すると直子は、まるでその音が何かの合図だとでも言うようにすっと立ちあがり、かすかな衣ずれの音をさせながら僕の枕もとの床に膝をつき、僕の目をじっとのぞきこんだ。僕も彼女の目を見たけれど、その目は何も語りかけてはいなかった。瞳は不自然なくらい澄んでいて、向う側の世界がすけて見えそうなほどだったが、どれだけ見つめてもその奥に何かをみつけることはできなかった。僕の顔と彼女の顔はほんの三十センチくらいしか離れていなかったけれど、彼女は何光年も遠くにいるように感じられた。

僕が手をのばして彼女に触れようとすると、直子はすっとうしろに身を引いた。唇が少しだけ震えた。それから直子は両手を上にあげてゆっくりとガウンのボタンを外しはじめた。ボタンは全部で七つあった。僕は彼女の細い美しい指が順番にそれを外していくのを、まるで夢のつづきを見ているような気持で眺めていた。その小さな七つの白いボタンが全部外れてしまうと、直子は虫が脱皮するときのように腰の方にガウンをするりと下ろして脱ぎ捨て、裸になった。ガウンの下に、直子は何もつけていなかった。彼女が身につけているのは蝶のかたちをしたヘアピンだけだった。直子はガウンを脱ぎ捨ててしまうと、床に膝をついたまま僕を見ていた。やわらかな月の光に照らされた直子の体はまだ生まれおちて間のない新しい肉体のようにつややかで痛々しかった。彼女が少し体を動かすと——それはほんの僅かな動きなのに——月の光のあたる部分が微妙に移動し、体を染める影のかたちが変った。丸く盛りあがった乳房や、小さな乳首や、へそのくぼみや、腰骨や陰毛のつくりだす粒子の粗い影はまるで静かな湖面をうつろう水紋のようにそのかたちを変えていった。

これはなんという完全な肉体なのだろう——と僕は思った。直子はいつの間にこんな完全な肉体を持つようになったのだろう？　そしてあの春の夜に僕が抱いた彼女の肉体はいったいどこに行ってしまったのだろう？

その夜、泣きつづける直子の服をゆっくりとやさしく脱がせていったとき、僕は彼女の体がどことなく不完全であるような印象を持ったものだった。乳房は固く、乳首は場ちがいな突起のように感じられたし、腰のまわりは妙にこわばっていた。もちろん直子は美しい娘だったし、その肉体は魅力的だった。それは僕を性的に興奮させ、巨大な力で僕を押し流していった。しかしそれでも、僕は彼女の裸の体を抱き、愛撫し、そこに唇をつけながら、肉体というもののアンバランスについて、その不器用さについてふと奇妙な感慨を抱いたものだった。僕は直子を抱きながら、彼女に向ってこう説明したかった。僕は今君と性交している。僕は君の中に入っている。でもこれは本当に何でもないことなんだ。どちらでもいいことなんだ。だってこれは体のまじわりにすぎないんだ。我々はお互いの不完全な体を触れあわせることでしか語ることのできないことを語りあっているだけなんだ。こうすることで僕らはそれぞれの不完全さを分かちあっているんだよ、と。しかしもちろんそんなことを口に出してうまく説明できるわけはない。僕は黙ってしっかりと直子の体を抱きしめているだけだった。彼女の体を抱いていると、僕はその中に何かしらうまく馴染めないで残っているような異物のごつごつとした感触を感じることができた。そしてその感触は僕を愛しい気持にさせ、おそろしいくらい固く勃起させた。

しかし今僕の前にいる直子の体はそのときとはがらりと違っていた。直子の肉体はいくつかの変遷を経た末に、こうして今完全な肉体となって月の光の中に生まれ落ちたのだ、と僕は思った。まずふっくらとした少女の肉がキズキの死と前後してすっかりそぎおとされ、それから成熟という肉をつけ加えられたのだ。直子の肉体はあまりにも美しく完成されていたので、僕は性的な興奮すら感じなかった。僕はただ茫然としてその美しい腰のくびれや、丸くつややかな乳房や、呼吸にあわせて静かに揺れるすらりとした腹やその下のやわらかな黒い陰毛のかげりを見つめているだけだった。

彼女がその裸の体を僕の目の前に曝していたのはたぶん五分か六分くらいのものだった

のではなかったかと思う。やがて彼女はガウンを再びまとい、上から順番にボタンをはめていった。ボタンをはめてしまうと直子はすっと立ちあがり、静かに寝室のドアを開けてその中に消えた。

僕はずいぶん長いあいだベッドの中でじっとしていたが、思いなおしてベッドから出て、床に落ちていた時計を拾い上げ、月の光の方に向けてみた。三時四十分だった。僕は台所で何杯か水を飲んでからまたベッドに横になったが、結局夜が明けて日の光が部屋の隅々にしみこんだ青白い月光のしみをすっかり溶かし去ってしまうまで眠りは訪れなかった。僕が眠ったか眠らないかのうちにレイコさんがやってきて僕の頬をぴしゃぴしゃと叩き「朝よ、朝よ」とどなった。

レイコさんが僕のベッドを片づけているあいだ、直子が台所に立って朝食を作った。直子は僕に向ってにっこりと笑って「おはよう」と言った。おはよう、と僕も言った。ハミングしながら湯をわかしたりパンを切ったりしている直子の姿をとなりに立ってしばらく眺めていたが、昨夜僕の前で裸になったという気配はまるで感じられなかった。

「ねえ、目が赤いわよ。どうしたの？」と直子がコーヒーを入れながら僕に言った。

「夜中に目が覚めちゃってね、それから上手く寝られなかったんだ」

「私たちいびきかいてなかった？」とレイコさんが訊いた。

「かいてませんよ」と僕は言った。

「よかった」と直子が言った。

「彼、礼儀正しいだけなのよ」とレイコさんはあくびしながら言った。

僕は最初のうち直子はレイコさんの手前何もなかったふりをしているのか、あるいは恥かしがっているのかとも思ったが、レイコさんがしばらく部屋から姿を消したときにも彼女の素振りには全く変化がなかったし、その目はいつもと同じように澄みきっていた。

「よく眠れた？」と僕は直子に訊ねた。

「ええ、ぐっすり」と直子は何でもなさそうに答えた。彼女は何のかざりもないシンプルなヘアピンで髪をとめていた。

僕のそのわりきれない気分は、朝食をとっているあいだもずっとつづいていた。僕はパンにバターを塗ったり、ゆで玉子の殼をむいたりしながら、何かのしるしのようなものを求めて、向いに座った直子の顔をときどきちらちらと眺めていた。

「ねえ、ワタナベ君、どうしてあなた今朝私の顔ばかり見てるの？」と直子がおかしそうに訊いた。

「彼、誰かに恋してるのよ」とレイコさんが言った。

「あなた誰かに恋してるの？」と直子が僕に訊いた。

そうかもしれないと言って僕も笑った。そして二人の女がそのことで僕をさかなにした冗談を言いあっているのを見ながら、それ以上昨夜の出来事について考えるのをあきらめてパンを食べ、コーヒーを飲んだ。

朝食が終ると二人はこれから鳥小屋に餌をやりに行くと言ったので、僕もついていくことにした。二人は作業用のジーンズとシャツに着替え、白い長靴をはいた。鳥小屋はテニス・コートの裏のちょっとした公園の中にあって、ニワトリから鳩から、孔雀、オウムにいたる様々な鳥がそこに入っていた。まわりには花壇があり、植えこみがあり、ベンチがあった。やはり患者らしい二人の男が通路に落ちた葉をほうきで集めていた。どちらの男も四十から五十のあいだに見えた。レイコさんと直子はその二人のところに行って朝のあいさつをし、レイコさんはまた何か冗談を言って二人の男を笑わせた。花壇にはコスモスの花が咲き、植込みは念入りに刈り揃えられていた。レイコさんの姿を見ると、鳥たちはキイキイという声を上げながら檻の中をとびまわった。

彼女たちは鳥小屋のとなりにある小さな納屋の中に入って餌の袋とゴム・ホースを出してきた。直子がホースを蛇口につなぎ、水道の栓をひねった。そして鳥が外に出ないように注意しながら檻の中に入って汚物を洗いおとし、レイコさんがデッキ・ブラシでごしごし床をこすった。水しぶきが太陽の光に眩しく輝き、孔雀たちはそのはねをよけて檻の中をぱたぱたと走って逃げた。七面鳥は首を上げて気むずかしい老人のような目で僕を睨みつけ、オウムは横木の上で不快そうに大きな音を立てて羽ばたきした。レイコさんがオウムに向って猫の鳴き真似をすると、オウムは隅の方に寄って肩をひそめていたが、少しすると「アリガト、キチガイ、クソタレ」と叫んだ。

「誰かがああいうの教えたのよね」とため息をつきながら直子が言った。

「私じゃないわよ。私そういう言葉教えたりしないもの」とレイコさんは言った。そしてまた猫の鳴き真似をした。オウムは黙りこんだ。

「このヒト、一度猫にひどい目にあわされたもんだから、猫が怖くって怖くってしようがないのよ」とレイコさんは笑って言った。

掃除が終ると二人は掃除用具を置いて、それからそれぞれの餌箱に餌を入れていった。七面鳥はぺちゃぺちゃと床にたまった水をはねかえしながらやってきて餌箱に顔をつっこみ、直子がお尻を叩いても委細かまわず夢中で餌を貪り食べていた。

「毎朝これをやっているの？」と僕は直子に訊いた。

「そうよ。新入りの女の人はだいたいこれやるの。簡単だから。ウサギ見たい？」

見たい、と僕は言った。鳥小屋の裏にウサギ小屋があり、十四ほどのウサギがワラの中に寝ていた。彼女はほうきで糞をあつめ、餌箱に餌を入れてから、子ウサギを抱きあげ頬ずりした。

「可愛いでしょ？」と直子は楽しそうに言った。そして僕にウサギを抱かせてくれた。そのあたたかい小さなかたまりは僕の腕の中でじっと身をすくめ、耳をぴくぴくと震わせていた。

「大丈夫よ。この人怖くないわよ」と直子は言って指でウサギの頭を撫で、僕の顔を見てにっこりと笑った。何のかげりもない眩しいような笑顔だったので、僕も思わず笑わないわけにはいかなかった。そして昨夜の直子はいったいなんだったんだろうと思った。あれは間違いなく本物の直子だった、夢なんかじゃない——彼女はたしかに僕の前で服を脱いで裸になったんだ、と。

レイコさんは「プラウド・メアリ」を口笛できれいに吹きながらごみを集め、ビニールのごみ袋に入れてそのくちを結んだ。僕は掃除用具と餌の袋を納屋に運ぶのを手伝った。

「朝って私いちばん好きよ」と直子は言った。「何もかも最初からまた新しく始まるみたいでね。だからお昼の時間が来ると哀しいの。夕方がいちばん嫌。毎日毎日そんな風に思って暮してるの」

「そうして、そう思ってるうちにあなたたちも私みたいに年をとるのよ。朝が来て夜が来てなんて思っているうちにね」と楽しそうにレイコさんは言った。「すぐよ、そんなの」

「でもレイコさんは楽しんで年とってるように見えるけれど」と直子が言った。

「年をとるのが楽しいとは思わないけど、今更もう一度若くなりたいとは思わないわね」とレイコさんは言った。

「どうしてですか？」と僕は訊いた。

「面倒臭いからよ。きまってんじゃない」とレイコさんは答えた。そして「プラウド・メアリ」を吹きつづけながらほうきを納屋に放りこみ、戸を閉めた。

　部屋に戻ると彼女たちはゴム長靴を脱いで普通の運動靴にはきかえ、これから農場に行ってくると言った。あまり見ていて面白い仕事でもないし、他の人たちとの共同作業だからあなたはここに残って本でも読んでいた方がいいでしょうとレイコさんは言った。

「それから洗面所に私たちの汚れた下着がバケツにいっぱいあるから洗っといてくれる？」とレイコさんが言った。

「冗談でしょ？」と僕はびっくりして訊きかえした。

「あたり前じゃない」とレイコさんは笑って言った。「冗談に決まってるでしょう、そんなこと。あなたってかわいいわねえ。そう思わない、直子？」

「そうねえ」と直子も笑って同意した。
「ドイツ語やってますよ」と僕はため息をついて言った。
「いい子ね、お昼前には戻ってくるからちゃんとお勉強してるのよ」とレイコさんは言った。そして二人はクスクス笑いながら部屋を出て行った。何人かの人々が窓の下を通りすぎていく足音や話し声が聞こえた。

僕は洗面所に入ってもう一度顔を洗い、爪切りを借りて手の爪を切った。二人の女性が住んでいるにしてはひどくさっぱりとした洗面所だった。化粧クリームやリップ・クリームや日焼けどめやローションといったものがぱらぱらと並んでいるだけで、化粧品らしいものは殆んどなかった。爪を切ってしまうと僕は台所でコーヒーを入れ、テーブルの前に座ってそれを飲みながらドイツ語の教科書を広げた。台所の日だまりの中でTシャツ一枚になってドイツ語の文法表を片端から暗記していると、何だかふと不思議な気持になった。ドイツ語の不規則動詞とこの台所のテーブルはおよそ考えられる限りの遠い距離によって隔てられているような気がしたからだ。

十一時半に農場から二人は帰ってきて順番にシャワーに入り、さっぱりした服に着がえた。そして三人で食堂に行って昼食をとり、そのあとで門まで歩いた。門衛小屋には今度はちゃんと門番がいて、食堂から運ばれてきたらしい昼食を机の前で美味そうに食べていた。棚の上のトランジスタ・ラジオからは歌謡曲が流れていた。僕らが歩いていくと彼はやあと手をあげてあいさつし、僕らも「こんにちは」と言った。

これから三人で外を散歩してくる、三時間くらいで戻ってくると思う、とレイコさんが言った。

「ええ、どうぞ、どうぞ、ええ天気ですもんな。谷沿いの道はこないだの雨で崩れとるんで危いですが、それ以外なら大丈夫、問題ないです」と門番は言った。レイコさんは外出者リストのような用紙に直子と自分の名前と外出日時を記入した。

「気ィつけて行ってらっしゃい」と門番は言った。

「親切そうな人ですね」と僕は言った。

「あの人ちょっとここおかしいのよ」とレイコさんは言って指の先で頭を押さえた。

いずれにせよ門番の言うとおり実に良い天気だった。空は抜けるように青く、細くかすれた雲がまるでペンキのためし塗りでもしたみたいに天頂にすうっと白くこびりついていた。我々はしばらく「阿美寮」の低い石塀に沿って歩き、それから塀を離れて、道幅の狭い急な坂道を一列になって上った。先頭がレイコさんで、まん中が直子で、最後が僕だった。レイコさんはこのへんの山のことなら隅から隅まで知っているといったしっかりとした歩調でその細い坂道を上っていった。我々は殆んど口をきかずにただひたすら歩を運んだ。直子はブルージーンズと白いシャツという格好で、上着を脱いで手に持っていた。僕は彼女のまっすぐな髪が肩口で左右に揺れる様を眺めながら歩いた。直子はときどきうしろを振り向き、僕と目が合うと微笑んだ。上り道は気が遠くなるくらい長くつづいたが、レイコさんの歩調はまったく崩れなかったし、直子もときどき汗を拭きながら遅れることなくそのあとをついて行った。僕は山のぼりなんてしばらくしていないせいで息が切れた。

「いつもこういう山のぼりしてるの？」と僕は直子に訊いてみた。

「週に一回くらいかな」と直子は答えた。「きついでしょ、けっこう？」

「いささか」と僕は言った。

「三分の二は来たからもう少しよ。あなた男の子でしょ？　しっかりしなくちゃ」とレイコさんが言った。

「運動不足なんですよ」

「女の子と遊んでばかりいるからよ」と直子が一人ごとみたいに言った。

僕は何か言いかえそうとしたが、息が切れて言葉がうまく出てこなかった。時折目の前を頭に羽根かざりのようなものをつけた赤い鳥が横ぎっていった。青い空を背景に飛ぶ彼らの姿はいかにも鮮かだった。まわりの草原には白や青や黄色の無数の花が咲き乱れ、いたるところに蜂の羽音が聞こえた。僕はまわりのそんな風景を眺めながらもう何も考えずにただ一歩一歩足を前に運んだ。

それから十分ほどで坂道は終り、高原のようになった平坦な場所に出た。我々はそこで一服して汗を拭き、息を整え、水筒の水を飲んだ。レイコさんは何かの葉っぱをみつけてきて、それで笛を作って吹いた。

道はなだらかな下りになり、両側にはすすきの穂が高くおい茂っていた。十五分ばかり歩いたところで我々は集落を通りすぎたが、そこには人の姿はなく十二軒か十三軒の家は全て廃屋と化していた。家のまわりには腰の高さほどに草が茂り、壁にあいた穴には鳩の糞がまっ白に乾いてこびりついていた。ある家は柱だけを残してすっかり崩れおちていたが、中には雨戸を開ければ今すぐにでも住みつけそうなものもあった。我々は死に絶えた無言の家々にはさまれた道を抜けた。

「ほんの七、八年前まで、ここには何人か人が住んでたのよ」とレイコさんが教えてくれた。「まわりもずっと畑でね。でもみんな出ていっちゃったわ。生活が厳しすぎるのよ。冬は雪がつもって身動きつかなくなるし、それほど土地が肥えているわけじゃないしね。町に出て働いた方がお金になるのよ」

「もったいないですね。まだ十分に使える家もあるのに」と僕は言った。

「一時ヒッピーが住んでたこともあるんだけど、冬に音を上げて出ていったわよ」

集落を抜けてしばらく先に進むと垣根にまわりを囲まれた広い放牧場のようなものがあり、遠くの方に馬が何頭か草を食べているのが見えた。垣根に沿って歩いていくと、大きな犬が尻尾をぱたぱたと振りながら走ってきて、レイコさんにのしかかるようにして顔の匂いをかぎ、それから直子にとびかかってじゃれついた。僕が口笛を吹くとやってきて、長い舌でぺろぺろと僕の手を舐めた。

「牧場の犬なのよ」と直子が犬の頭を撫でながら言った。「もう二十歳近くになっているんじゃないかしら、歯が弱ってるから固いものは殆んど食べられないの。いつもお店の前で寝てて人の足音が聞こえるととんできて甘えるの」

レイコさんがナップザックからチーズの切れはしをとりだすと、犬は匂いを嗅ぎつけてそちらにとんでいき、嬉しそうにチーズにかぶりついた。

「この子と会えるのももう少しなのよ」とレイコさんが犬の頭を叩きながら言った。「十月半ばになると馬と牛をトラックにのせて下の方の牧舎につれていっちゃうのよ。夏場だけここで放牧して、草を食べさせて、観光客相手に小さなコーヒー・ハウスのようなものを開けてるの。観光客ったって、ハイカーが一日二十人くるかこないかってくらいのものだけどね。あなた何か飲みたくない、どう？」

「いいですね」と僕は言った。

犬が先に立って我々をそのコーヒー・ハウスまで案内した。正面にポーチのある白いペンキ塗りの小さな建物で、コーヒー・カップのかたちをした色褪せた看板が軒から下がっていた。犬は先に立ってポーチに上り、ごろんと寝転んで目を細めた。僕らがポーチのテーブルに座ると中からトレーナー・シャツとホワイト・ジーンズという格好の髪をポニー・テールにした女の子が出てきて、レイコさんと直子に親し気にあいさつした。

「この人直子のお友だち」とレイコさんが僕を紹介した。

「こんちは」とその女の子は言った。

「こんちは」と僕も言った。

三人の女性がひとしきり世間話をしているあいだ、僕はテーブルの下の犬の首を撫でていた。犬の首はたしかに年老いて固く筋ばっていた。その固いところをぽりぽりと掻いてやると、犬は気持良さそうに目をつぶってはあはあと息をした。

「名前はなんていうの？」と僕は店の女の子に訊ねた。

「ぺぺ」と彼女は言った。

「ぺぺ」と僕は呼んでみたが、犬はぴくりとも反応しなかった。

「耳遠いから、もっと大きな声で呼ばんと聞こえへんよ」と女の子は京都弁で言った。

「ペペッ!」と僕が大きな声で呼ぶと、犬は目を開けてすくっと身を起こし、ワンッと吠えた。

「よしよし、もうええからゆっくり寝て長生きしなさい」と女の子が言うと、ペペはまた僕の足もとにごろんと寝転んだ。

直子とレイコさんはアイス・ミルクを注文し、僕はビールを注文した。レイコさんは女の子にFMをつけてよと言って、女の子はアンプのスイッチを入れてFM放送をつけた。ブラッド・スウェット・アンド・ティアーズが「スピニング・ホイール」を唄っているのが聴こえた。

「私、実を言うとFMが聴きたくてここに来てんのよ」とレイコさんは満足そうに言った。「何しろうちはラジオもないでしょ、たまにここに来ないと今世間でどんな音楽かかってるのかわかんなくなっちゃうのよ」

「ずっとここに泊ってるの?」と僕は女の子に訊いてみた。

「まさか」と女の子は笑って答えた。「こんなところに夜いたら淋しくて死んでしまうわよ。夕方に牧場の人にあれで市内まで送ってもらうの。それでまた朝に出てくるの」彼女はそう言って少し離れたところにある牧場のオフィスの前に停った四輪駆動車を指さした。

「もうそろそろここも暇なんじゃないの？」とレイコさんが訊ねた。

「まあぼちぼちおしまいやわねえ」と女の子は言った。レイコさんが煙草をさしだし、彼女たちは二人で煙草を吸った。

「あなたいなくなると淋しいわよ」とレイコさんが言った。

「来年の五月にまた来るわよ」と女の子は笑って言った。

クリームの「ホワイト・ルーム」がかかり、コマーシャルがあって、それからサイモン・アンド・ガーファンクルの「スカボロー・フェア」がかかった。曲が終るとレイコさんは私この歌好きよと言った。

「この映画観ましたよ」と僕は言った。

「誰が出てるの？」

「ダスティン・ホフマン」

「その人知らないわねえ」とレイコさんは哀しそうに首を振った。「世界はどんどん変っていくのよ、私の知らないうちに」

レイコさんは女の子にギター貸してくれないかと言った。いいわよと女の子は言ってラジオのスイッチを切り、奥から古いギターを持ってきた。犬が顔を上げてギターの匂いをくんくんと嗅いだ。「食べるものじゃないのよ、これ」とレイコさんが犬に言い聞かせるように言った。草の匂いのする風がポーチを吹き抜けていった。山の稜線がくっきりと我々の眼前に浮かびあがっていた。

「まるで『サウンド・オブ・ミュージック』のシーンみたいですね」と僕は調弦をしているレイコさんに言った。

「何よ、それ?」彼女は言った。

彼女は「スカボロー・フェア」の出だしのコードを弾いた。楽譜なしではじめて弾くらしく最初のうちは正確なコードをみつけるのにとまどっていたが、何度か試行錯誤をくりかえしているうちに彼女はある種の流れのようなものを捉え、全曲をとおして弾けるようになった。そして三度目にはところどころ装飾音を入れてすんなりと弾けるようになった。「勘がいいのよ」とレイコさんは僕に向ってウインクして、指で自分の頭を指した。「三度聴くと、楽譜がなくてもだいたいの曲は弾けるの」

彼女はメロディーを小さくハミングしながら「スカボロー・フェア」を最後まできちんと弾いた。僕らは三人で拍手をし、レイコさんは丁寧に頭を下げた。

「昔モーツァルトのコンチェルト弾いたときはもっと拍手が大きかったわねえ」と彼女は言った。

店の女の子が、もしビートルズの「ヒア・カムズ・ザ・サン」を弾いてくれたらアイス・ミルクのぶん店のおごりにするわよと言った。レイコさんは親指をあげてＯＫのサインを出した。それから歌詞を唄いながら「ヒア・カムズ・ザ・サン」を弾いた。あまり声量がなく、おそらくは煙草の吸いすぎのせいでいくぶんかすれてはいたけれど、存在感のある素敵な声だった。ビールを飲みながら山を眺め、彼女の唄を聴いていると、本当にそこから太陽がもう一度顔をのぞかせそうな気がしてきた。それはとてもあたたかいやさしい気持だった。

「ヒア・カムズ・ザ・サン」を唄い終ると、レイコさんはギターを女の子に返し、またＦＭ放送をつけてくれと言った。そして僕と直子に二人でこのあたりを一時間ばかり歩いていらっしゃいよと言った。

「私、ここでラジオ聴いて彼女とおしゃべりしてるから、三時までに戻ってくれば、それでいいわよ」

「そんなに長く二人きりになっちゃってかまわないんですか？」と僕は訊いた。

「本当はいけないんだけれど、まあいいじゃない。私だってつきそいばあさんじゃないんだから少しはのんびりしたいわよ、一人で。それにせっかく遠くから来たんだからつもる話もあるんでしょう？」とレイコさんは新しい煙草に火をつけながら言った。

「行きましょうよ」と直子が言って立ちあがった。

僕も立ちあがって直子のあとを追った。犬が目をさましてしばらく我々のあとをついてきたが、そのうちにあきらめてもとの場所に戻っていった。我々は牧場の柵にそった平坦な道をのんびりと歩いた。ときどき直子は僕の手を握ったり、腕をくんだりした。

「こんな風にしてるとなんだか昔みたいじゃない?」と直子は言った。

「あれは昔じゃないよ。今年の春だぜ」と僕は笑って言った。「今年の春までそうしてたんだ。あれが昔だったら十年前は古代史になっちゃうよ」

「古代史みたいなものよ」と直子は言った。「でも昨日ごめんなさい。なんだか神経がたかぶっちゃって。せっかくあなたが来てくれたのに、悪かったわ」

「かまわないよ。たぶんいろんな感情をもっともっと外に出した方がいいんだと思うね、君も僕も。だからもし誰かにそういう感情をぶっつけたいんなら、僕にぶっつければいい。そうすればもっとお互いを理解できる」

「私を理解して、それでどうなるの?」

「ねえ、君はわかってない」と僕は言った。「どうなるかといった問題ではないんだよ、これは。世の中には時刻表を調べるのが好きで一日中時刻表読んでる人がいる。あるいはマッチ棒をつなぎあわせて長さ一メートルの船を作ろうとする人だっている。だから世の中に君のことを理解しようとする人間が一人くらいいたっておかしくないだろう?」

「趣味のようなものなのかしら？」と直子はおかしそうに言った。

「趣味と言えば言えなくもないね。一般的に頭のまともな人はそういうのを好意とか愛情とかいう名前で呼ぶけれど、君が趣味って呼びたいんならそう呼べばいい」

「ねえ、ワタナベ君」と直子が言った。「あなたキズキ君のことも好きだったんでしょう？」

「もちろん」と僕は答えた。

「レイコさんはどう？」

「あの人も大好きだよ。いい人だね」

「ねえ、どうしてあなたそういう人たちばかり好きになるの？」と直子は言った。「私たちみんなどこかでねじまがって、よじれて、うまく泳げなくて、どんどん沈んでいく人間なのよ。私もキズキ君もレイコさんも。みんなそうよ。どうしてもっとまともな人を好きにならないの？」

「それは僕にはそう思えないからだよ」僕は少し考えてからそう答えた。「君やキズキやレイコさんがねじまがってるとはどうしても思えないんだ。ねじまがっていると僕が感じる連中はみんな元気に外を歩きまわってるよ」

「でも私たちねじまがってるのよ。私にはわかるの」と直子は言った。

我々はしばらく無言で歩いた。道は牧場の柵を離れ、小さな湖のようにまわりを林に囲まれた丸いかたちの草原に出た。

「ときどき夜中に目が覚めて、たまらなく怖くなるの」と直子は僕の腕に体を寄せながら言った。「こんな風にねじ曲ったまま二度ともとに戻れないと、このままここで年をとって朽ち果てていくんじゃないかって。そう思うと、体の芯まで凍りついたようになっちゃうの。ひどいのよ。辛くて、冷たくて」

僕は直子の肩に手をまわして抱き寄せた。

「まるでキズキ君が暗いところから手をのばして私を求めているような気がするの。おいナオコ、俺たち離れられないんだぞって。そう言われると私、本当にどうしようもなくなっちゃうの」

「そういうときはどうするの？」

「ねえ、ワタナベ君、変に思わないでね」

「思わないよ」と僕は言った。

「レイコさんに抱いてもらうの」と直子は言った。「レイコさんを起して、彼女のベッドにもぐりこんで、抱きしめてもらうの。そして泣くのよ。彼女が私の体を撫でてくれるの。体の芯があたたまるまで。こういうのって変？」

「変じゃないよ。レイコさんのかわりに僕が抱きしめてあげたいと思うだけで」

「今、抱いて、ここで」と直子が言った。

我々は草原の乾いた草の上に腰を下ろして抱きあった。腰を下ろすと我々の体は草の中にすっぽりと隠れ、空と雲の他には何も見えなくなってしまった。僕は直子の体をゆっくりと草の上に倒し、抱きしめた。直子の体はやわらかくあたたかで、その手は僕の体を求めていた。僕と直子は心のこもった口づけをした。

「ねえ、ワタナベ君？」と僕の耳もとで直子が言った。

「うん？」

「私と寝たい？」

「もちろん」と僕は言った。

「でも待てる？」

「もちろん待てる」

「そうする前に私、もう少し自分のことをきちんとしたいの。きちんとして、あなたの趣味にふさわしい人間になりたいのよ。それまで待ってくれる？」

「もちろん待つよ」

「今固くなってる？」

「足の裏のこと?」

「馬鹿ねえ」とくすくす笑いながら直子は言った。

「勃起してるかということなら、してるよ、もちろん」

「ねえ、そのもちろんって言うのやめてくれる?」

「いいよ、やめる」と僕は言った。

「そういうのってつらい?」

「何が?」

「固くなってることが」

「つらい?」と僕は訊きかえした。

「つまり、その……苦しいかっていうこと」

「考えようによってはね」

「出してあげようか?」

「手で?」

「そう」と直子は言った。「正直言うとさっきからそれすごくゴツゴツしてて痛いのよ」

僕は少し体をずらせた。「これでいい?」

「ありがとう」

「ねえ、直子？」と僕は言った。

「なあに？」

「やってほしい」

「いいわよ」と直子はにっこりと微笑んで言った。そして僕のズボンのジッパーを外し、固くなったペニスを手で握った。

「あたたかい」と直子は言った。

直子が手を動かそうとするのを僕は止めて、彼女のブラウスのボタンを外し、背中に手をまわしてブラジャーのホックを外した。そしてやわらかいピンク色の乳房にそっと唇をつけた。直子は目を閉じ、それからゆっくりと指を動かしはじめた。

「なかなか上手いじゃない」と僕は言った。

「いい子だから黙っていてよ」と直子が言った。

射精が終ると僕はやさしく彼女を抱き、もう一度口づけした。そして直子はブラジャーとブラウスをもとどおりにし、僕はズボンのジッパーをあげた。

「これで少し楽に歩けるようになった？」と直子が訊いた。

「おかげさまで」と僕は答えた。

「じゃあよろしかったらもう少し歩きません？」

「いいですよ」と僕は言った。

僕らは草原を抜け、雑木林を抜け、また草原を抜けた。そして歩きながら直子は死んだ姉の話をした。このことは今まで殆んど誰にも話したことはないのだけれど、あなたには話しておいた方がいいと思うから話すのだと彼女は言った。

「私たち年が六つ離れていたし、性格なんかもけっこう違ったんだけれど、それでもとても仲が良かったの」と直子は言った。「喧嘩ひとつしなかったわ。本当よ。まあ喧嘩にならないくらいレベルに差があったということもあるんだけどね」

お姉さんは何をやらせても一番になってしまうタイプだったのだ、と直子は言った。勉強も一番ならスポーツも一番、人望もあって指導力もあって、親切で性格もさっぱりしているから男の子にも人気があって、先生にもかわいがられて、表彰状が百枚もあってという女の子だった。どの公立校にも一人くらいこういう女の子がいる。でも自分のお姉さんだから言うわけじゃないけれど、そういうことでスポイルされて、つんつんしたり鼻にかけたりするような人ではなかったし、派手に人目につくのを好む人でもなかった、ただ何をやらせても自然に一番になってしまうだけだったのだ、と。

「それで私、小さい頃から可愛い女の子になってやろうと決心したの」と直子はすすきの穂をくるくると回しながら言った。「だってそうでしょ、ずっとまわりの人がお姉さんがいかに頭が良くて、スポーツができて、人望もあってなんて話してるの聞いて育ったんですもの。どう転んだってあの人には勝てないと思うわよ。それにまあ顔だけとれば私の方が少しはきれいだったから、親の方も私は可愛く育てようと思ったみたいね。だからあんな学校に小学校から入れられちゃったのよ。ベルベットのワンピースとかフリルのついたブラウスとかエナメルの靴とか、ピアノやバレエのレッスンとかね。でもおかげでお姉さんは私のことすごく可愛がってくれたわ、可愛い小さな妹って風にね。こまごまとしたもの買ってプレゼントしてくれたし、いろんなところにつれていってくれたり、勉強みてくれたり。ボーイ・フレンドとデートするとき私を一緒につれてってくれたりもしたのよ。とても素敵なお姉さんだったわ。

彼女がどうして自殺しちゃったのか、誰にもその理由はわからなかったの。キズキ君のときと同じようにね。まったく同じなのよ。年も十七で、その直前まで自殺するような素振りはなくて、遺書もなくて——同じでしょ？」

「そうだね」と僕は言った。

「みんなはあの子は頭が良すぎたんだとか本を読みすぎたんだとか言ってたわ。まあたしかに本はよく読んでいたわね。いっぱい本を持ってて、私はお姉さんが死んだあとでずいぶんそれ読んだんだけど、哀しかったわ。書きこみしてあったり、押し花がはさんであったり、ボーイ・フレンドの手紙がはさんであったり。そういうので私、何度も泣いたのよ」

直子はしばらくまた黙ってすすきの穂をまわしていた。

「大抵のことは自分一人で処理しちゃう人だったのよ。誰かに相談したり、助けを求めたりということはまずないの。べつにプライドが高くてというんじゃないのよ。ただそうするのが当然だと思ってそうしていたのね、たぶん。そして両親の方もそれに馴れちゃってて、この子は放っておいても大丈夫って思ってたのね。私はよくお姉さんに相談したし、彼女はとても親切にいろんなこと教えてくれるんだけど、自分は誰にも相談しないの。一人で片づけちゃうの。怒ることもないし、不機嫌になることもないの。本当よこれ。誇張じゃなくて。女の人って、たとえば生理になったりするとムシャクシャして人にあたったりするでしょ、多かれ少なかれ。そういうのもないの。彼女の場合は不機嫌になるかわりに沈みこんでしまうの。二ヵ月か三ヵ月に一度くらいそういうのが来て、二日くらいずっと自分の部屋に籠って寝てるの。学校も休んで、物も殆んど食べないで。部屋を暗くして、何もしないでボオッとしてるの。でも不機嫌というんじゃないのよ。私が学校から戻ると部屋に呼んで、隣りに座らせて、私のその日いちにちのことを聞くの。たいした話じゃないのよ。友だちと何をして遊んだとか、先生がこう言ったとか、テストの成績がどうだったとか、そんな話よ。そしてそういうのを熱心に聞いて感想を言ったり、忠告を与えたりしてくれるの。でも私がいなくなると――たとえばお友だちと遊びに行ったり、バレエのレッスンにでかけたりすると――また一人でボオッとしてるの。そして二日くらい経つとそれがパタッと自然になおって元気に学校に行くの。そういうのが、そうねえ、四年くらいつづいたんじゃないかしら。はじめのうちは両親も気にしてお医者に相談していたらしいんだけれど、なにしろ二日たてばケロッとしちゃうわけでしょ、だからまあ放っておけばそのうちになんとかなるだろうって思うようになったのね。頭の良いしっかりした子だしってね。

でもお姉さんが死んだあとで、私、両親の話を立ち聞きしたことあるの。ずっと前に死んじゃった父の弟の話。その人もすごく頭がよかったんだけれど、十七から二十一まで四年間家の中に閉じこもって、結局ある日突然外に出てって電車にとびこんじゃったんだって。それでお父さんこう言ったのよ。『やはり血筋なのかなあ、俺の方の』って」

直子は話しながら無意識に指先ですすきの穂をほぐし、風にちらせていた。全部ほぐしてしまうと、彼女はそれをひもみたいにぐるぐると指に巻きつけた。

「お姉さんが死んでるのをみつけたのは私なの」と直子はつづけた。「小学校六年生の秋よ。十一月。雨が降って、どんよりと暗い一日だったわ。そのときお姉さんは高校三年生だったわ。私がピアノのレッスンから戻ってくると六時半で、お母さんが夕食の仕度していて、もうごはんだからお姉さん呼んできてって言ったの。私は二階に上って、お姉さんの部屋のドアをノックしてごはんよってどなったの。でもね、返事がなくて、しいんとしてるの。それでなんだか変だなあって思って、もう一度ノックしてそっとドアを開けてみたわけ。寝ちゃったのかしらと思ってね。でもお姉さんは寝てなかったわ。窓辺に立って、首を少しこう斜めに曲げて、外をじっと眺めていたの。まるで考えごとをしてるみたいに。部屋は暗くて、電灯もついてなくて、何もかもぼんやりとしか見えなかったのよ。私は『ねえ何してるの？　もうごはんよ』って声をかけたの。でもそう言ってから彼女の背がいつもより高くなっていることに気がついたの。それで、あれどうしたんだろうってちょっと不思議に思ったの。ハイヒールはいてるのか、それとも何かの台の上に乗ってるのかしらって、そして近づいていって声をかけようとした時にはっと気がついたのよ。首の上にひもがついていることにね。天井のはりからまっすぐにひもが下っていて――それがね、本当にびっくりするくらいまっすぐなのよ、まるで定規を使って空間にピッと線を引いたみたいに。お姉さんは白いブラウス着ていて――そう、ちょうど今私が着てるようなシンプルなの――グレーのスカートはいて、足の先がバレエの爪先立ちみたいにキュッとのびていて、床と足の指先のあいだに二十センチくらいの何もない空間があいてたの。私、そういうのをこと細かに全部見ちゃったのよ。顔も。顔も見ちゃったの。見ないわけにはいかなかったのよ。私すぐ下にいってお母さんに知らせなくちゃ、叫ばなくちゃと思ったわ。でも体の方が言うことをきかないのよ。私の意識とは別に勝手に体の方が動いちゃうのよ。私の意識は早く下に行かなきゃと思っているのに、体の方は勝手に動いてお姉さんの体をひもから外そうとしているのよ。でももちろんそんなこと子供の力でできるわけないし、私そこで五、六分ぼおっとしていたと思うの、放心状態で。何が何やらわけがわからなくて。体の中の何かが死んでしまったみたいで。お母さんが『何してるのよ？』って見にくるまで、ずっと私そこにいたのよ、お姉さんと一緒に。その暗くて冷たいところに……」

直子は首を振った。

「それから三日間、私はひとことも口がきけなかったの。ベッドの中で死んだみたいに、目だけ開けてじっとしていて。何がなんだか全然わからなくて」直子は僕の腕に身を寄せた。「手紙に書いたでしょ？　私はあなたが考えているよりずっと不完全な人間なんだって。あなたが思っているより私はずっと病んでいるし、その根はずっと深いのよ。だからもし先に行けるものならあなた一人で先に行っちゃってほしいの。私を待たないで。他の女の子と寝たいのなら寝て。私のことを考えて遠慮したりしないで、どんどん自分の好きなことをして。そうしないと私はあなたを道づれにしちゃうかもしれないし、私、たとえ何があってもそれだけはしたくないのよ。あなたの人生の邪魔をしたくないの。誰の人生の邪魔もしたくないの。さっきも言ったようにときどき会いに来て、そして私のことをいつまでも覚えていて。私が望むのはそれだけなのよ」

「僕の望むのはそれだけじゃないよ」と僕は言った。

「でも私とかかわりあうことであなたは自分の人生を無駄にしてるわよ」

「僕は何も無駄になんかしてない」

「だって私は永遠に回復しないかもしれないのよ。それでもあなたは私を待つの？　十年も二十年も私を待つことができるの？」

「君は怯えすぎてるんだ」と僕は言った。「暗闇やら辛い夢やら死んだ人たちの力やらに。君がやらなくちゃいけないのはそれを忘れることだし、それさえ忘れれば君はきっと回復するよ」

「忘れることができればね」と直子は首を振りながら言った。

「ここを出ることができたら一緒に暮さないか？」と僕は言った。「そうすれば君を暗闇やら夢やらから守ってあげることができるし、レイコさんがいなくてもつらくなったときに君を抱いてあげられる」

直子は僕の腕にもっとぴったりと身を寄せた。「そうすることができたら素敵でしょうね」と彼女は言った。

我々がコーヒー・ハウスに戻ったのは三時少し前だった。レイコさんは本を読みながらFM放送でブラームスの二番のピアノ協奏曲を聴いていた。見わたす限り人影のない草原の端っこでブラームスがかかっているというのもなかなか素敵なものだった。三楽章のチェロの出だしのメロディーを彼女は口笛でなぞっていた。

「バックハウスとベーム」とレイコさんは言った。「昔はこのレコードをすりきれるくらい聴いたわ。本当にすりきれちゃったのよ。隅から隅まで聴いたの。なめつくすようにね」

僕と直子は熱いコーヒーを注文した。

「お話はできた？」とレイコさんが直子に訊ねた。

「ええ、すごくたくさん」と直子が言った。

「あとで詳しく教えてね、彼のがどんなだったか」

「そんなこと何もしてないわよ」と直子が赤くなって言った。

「本当に何もしてないの?」とレイコさんは僕に訊いた。

「してませんよ」

「つまんないわねえ」とレイコさんはつまらなそうに言った。

「そうですね」と僕はコーヒーをすすりながら言った。

講談社文庫刊行の辞

二十一世紀の到来を目睫に望みながら、われわれはいま、人類史上かつて例を見ない巨大な転換期をむかえようとしている。

世界も、日本も、激動の予兆に対する期待とおののきを内に蔵して、未知の時代に歩み入ろうとしている。このときにあたり、創業の人野間清治の「ナショナル・エデュケイター」への志を現代に甦らせようと意図して、われわれはここに古今の文芸作品はいうまでもなく、ひろく人文・社会・自然の諸科学から東西の名著を網羅する、新しい綜合文庫の発刊を決意した。

激動の転換期はまた断絶の時代である。われわれは戦後二十五年間の出版文化のありかたへの深い反省をこめて、この断絶の時代にあえて人間的な持続を求めようとする。いたずらに浮薄な商業主義のあだ花を追い求めることなく、長期にわたって良書に生命をあたえようとつとめるところにしか、今後の出版文化の真の繁栄はあり得ないと信じるからである。

同時にわれわれはこの綜合文庫の刊行を通じて、人文・社会・自然の諸科学が、結局人間の学にほかならないことを立証しようと願っている。かつて知識とは、「汝自身を知る」ことにつきていた。現代社会の瑣末な情報の氾濫のなかから、力強い知識の源泉を掘り起し、技術文明のただなかに、生きた人間の姿を復活させること。それこそわれわれの切なる希求である。

われわれは権威に盲従せず、俗流に媚びることなく、渾然一体となって日本の「草の根」をかたちづくる若く新しい世代の人々に、心をこめてこの新しい綜合文庫をおくり届けたい。それは知識の泉であるとともに感受性のふるさとであり、もっとも有機的に組織され、社会に開かれた万人のための大学をめざしている。大方の支援と協力を衷心より切望してやまない。

一九七一年七月

野間省一

ノルウェイの森《もり》 (上)
村上春樹《むらかみはるき》

2004年9月15日第1刷発行
2005年3月24日第4刷発行

発行者——野間佐和子
発行所——株式会社 講談社
東京都文京区音羽2-12-21　〒112-8001
電話 出版部 (03) 5395-3510
販売部 (03) 5395-5817
業務部 (03) 5395-3615
Printed in Japan

落丁本・乱丁本は購入書店名を明記のうえ、小社書籍業務部あてにお送りください。送料は小社負担にてお取替えします。なお、この本の内容についてのお問い合わせは文庫出版部あてにお願いいたします。

ISBN4-06-274868-1

講談社文庫
定価はカバーに
表示してあります

デザイン—菊地信義
製版——豊国印刷株式会社
印刷——株式会社廣済堂
製本——株式会社千曲堂